비파괴검사 이론 & 응용 ❾

적외선열화상검사

한국비파괴검사학회
최만용, 김원태 共著

| 머리말 |

1960년대 초에 도입되어 반세기의 역사를 지니고 있는 우리나라의 비파괴검사 기술은 원자력 발전설비, 석유화학 플랜트 등 거대설비·기기들에서부터 반도체 등의 소형 제품에 이르기까지 검사 적용대상도 다양해져 이들 제품의 안전성 및 품질보증과 신뢰성 확보를 위한 핵심 요소기술로서의 중심적인 역할을 분담하게 되었다.

특히 한국비파괴검사학회의 활동 중 비파괴검사기술자의 교육훈련 및 자격인정 분야에서는 그 동안 꾸준한 활동으로 산 · 학 · 연에 종사하는 많은 비파괴검사기술자를 양성하였고, ASNT Level Ⅲ 자격시험의 국내 유치, KSNT Level Ⅱ 과정의 개설을 위시하여 최근에는 ISO 9712에 의한 국제 표준 비파괴검사 자격시험의 도입을 준비 중에 있다.

이에 학회에서는 비파괴검사기술자들의 교육 및 훈련에 기본 자료로 활용하는 것 뿐만 아니라 비파괴검사 분야에 입문하는 분들이 비파괴검사를 체계적으로 이해하고 관련 실무지식을 체득할 수 있는 비파괴검사 이론 & 응용을 각 종목별로 편찬 보급하고 있다.

책은 마음의 양식이요 지식의 근본이라 했다. 지식정보화의 시대를 살아가는데 지식은 미래의 값진 삶을 지향하기 위한 원천이다. 특히 전공 교재는 특정 영역의 체계적이고 가치 있는 내용을 담고 있는 지식의 근원이요 터전이다

본 비파괴검사 이론 & 응용은 비파괴검사 분야에 입문하는 자 및 산업체의 품질보증 관련 업무에 종사하는 초 · 중급 기술자는 물론 고급기술자 모두가 필수적으로 알아야할 비파괴검사 기술의 개요와 타 전문 분야와의 연관성 등에 한정하여 기술하고 있다. 아울러 이 교재에서는 현재 산업 현장에서 적용이 시도되고 있거나 연구개발 중에 있는 각종 첨단 비파괴검사 방법의 종류와 특징도 소개하고 있다

끝으로 본 교재의 출판에 도움을 주신 노드미디어(구. 도서출판 골드) 사장님과 자료 및 교정에 협조하여 주신 분들게 심심한 사의를 표하는 바이다.

2011년 10월

저자 씀

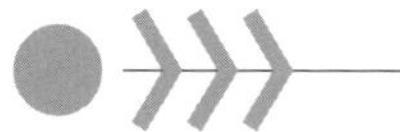

| 목차 |
CONTENTS

제 1 장 적외선 열화상 검사의 개요

제 2 장 적외선 열화상 검사의 기초이론

제 3 장 적외선 열화상 측정 시스템

제 4 장 적외선 열화상 탐상 기법

제 5 장 적외선 열화상 탐상의 적용과 실제

제 6 장 표준화

기 타 — 부록, 찾아보기, 참고문헌

제 1 장 적외선 열화상 검사의 개요

1.1 개요

1.1.1 적외선은 무엇인가?

열화상 측정 및 적외선 광선에 활용되는 적외선 에너지는 전자기 스펙트럼의 일부분으로 가시광선과 유사한 형태의 특성을 나타낸다. 이러한 적외선은 빛의 속도로 공간을 이동하며 반사, 굴절, 흡수 및 방사 등의 현상을 나타낸다. 적외선 에너지의 파장은 가시광선에 비해 상당히 길어서 0.7 μ에서 1000 ㎛(백만분의 일 미터) 사이의 길이를 가진다. 적외선의 종류는 표 1-1과 같다.

1) 적외선 분류

모든 물체는 온도의 작용으로서 적외선을 복사(방사)한다. 적외선 열화상 측정 기법은 대상체에서 방출되는 적외선 열에너지를 "검출"하고 "측정"하기 위해 사용된다. 열, 혹은 적외선 에너지는 파장이 너무 길어 육안으로 탐지할 수 없으므로 비가시광선이며 가시광선과 달리, 적외선 환경에서는 절대 영도(섭씨온도(Celsius scale) −273.15 ℃, 화씨온도(Fahrenheit scale) −459.67 ℉)를 초과한 온도의 모든 사물이 열을 방출한다.

표 1-1 파장에 따른 적외선 분류

Infrared Ray	NIR (Near Infrared Ray)	SWIR (Short Wavelength Infrared Ray)	MWIR (Mid Wavelength Infrared Ray)	**LWIR (Long Wavelength Infrared Ray)**
Wavelength	0.7~1.1 μm	1.1~2.5 μm	2.5~7.0 μm	**7.0~15.0 μm**

다시 말해, 모든 물체가 적외선을 복사한다는 의미이다. 이러한 적외선 에너지는 원자와 분자의 진동과 회전으로 발생한다. 물체의 온도가 높을수록 더 많은 움직임이 발생하

고 결국 더 많은 적외선 에너지를 복사한다. 이 에너지가 적외선 열화상 카메라에 감지되는 것이다. 적외선 열화상 카메라는 온도를 보는 것이 아니라 열의 복사, 즉 열에너지를 감지하는 것이다. 절대영도에서 모든 물체는 최저의 에너지 상태를 나타내며, 따라서 적외선 복사도 최소 수준으로 유지된다.

2) 전자기 스펙트럼

적외선 복사는 [그림 1.1]에서와 같이 전자기 복사의 일종으로 가시광선보다 긴 파장을 가지고 있음을 알 수 있다. 다른 형태의 전자기 복사로는 엑스레이(x-ray), 자외선, 라디오파 등이 있다. 전자기 복사는 파장 혹은 주파수로 분류된다. 라디오 방송국은 그들의 고유주파수, 주로 킬로헤르츠(kHz) 혹은 메가헤르츠(MHz)로 표시하여 구분하며, 적외선 탐지기나 시스템은 파장으로 구분된다. 측정단위는 백만분의 1 mm인 마이크로미터(㎛) 혹은 마이크로론이다.

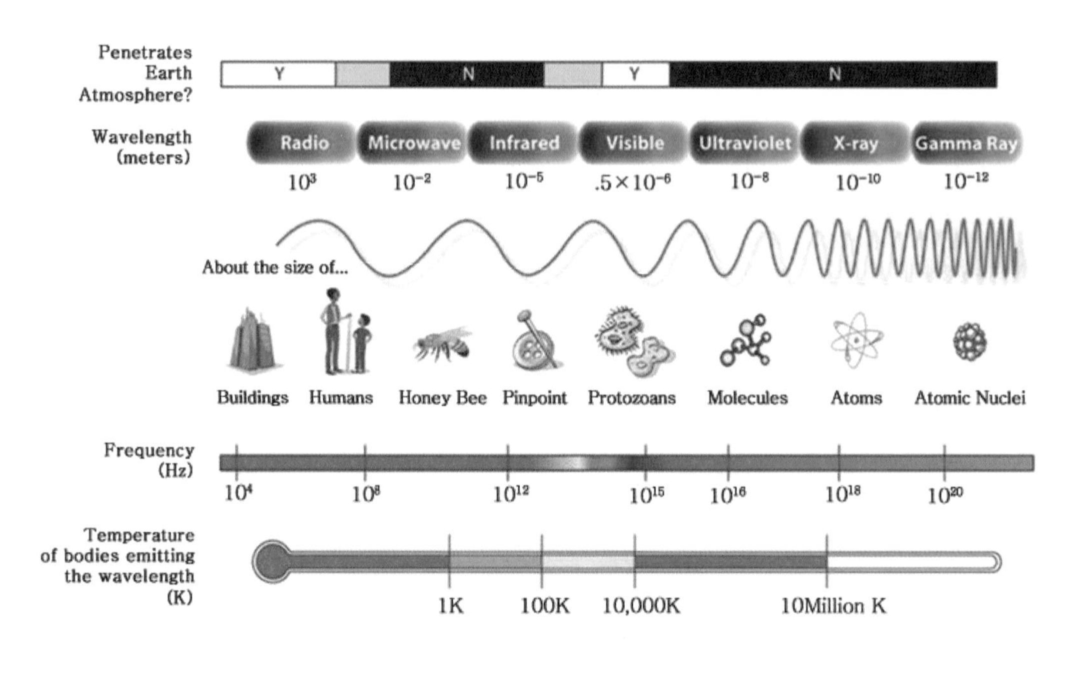

[그림 1.1] 전자기 스펙트럼

8 ~ 12 ㎛ 파장의 복사를 감지하는 시스템의 경우, "장파" 라고 명칭하며, 3 ~ 5 ㎛ 파장의 경우 "단파" 라고 한다. (3 ㎛ 보다 짧은 파장을 감지하는 시스템도 있기 때문에

3 ~ 5 ㎛ 시스템의 경우 때에 따라서는 "중파" 로 분류되기도 한다). 전자기 스펙트럼 중 눈으로 볼 수 있는 부분은 그 파장이 대략 0.4 ~ 0.75 ㎛ 정도이다. 사람이 색깔을 볼 수 있는 것은 이러한 파장의 차이를 식별할 수 있기 때문이다.

레이저 포인터를 갖고 있는 경우에는 그 파장이 나노미터로 표시된 것을 볼 수 있을 것이다. 대부분 약 650 나노미터이다. 전자기 스펙트럼 차트의 650 나노미터를 확인 해 보면 그것이 붉은색광선이라는 것을 발견할 수 있다.

1.1.2 적외선 열화상의 정의

흔히 말하는 열화상(Thermography)은 빛이 갖는 다양한 파장대역으로부터 적외선 파장대역 중에서도 1.3 ㎛으로부터 12 ㎛ 범위의 적외선을 적외선 검출소자인 센서를 통해 물체 혹은 대상체로부터 방사되어지는 적외선을 탐지하여 온도 혹은 열 그 자체를 화상으로 보여주는 기술이다.

영화 "프레데터" 혹은 "프레데터2" 를 보면 투명한 외계생명체의 열을 감지하여 시각화한 장면을 보았을 것이다. 이와 같이 적외선 열화상에 의한 측정은 특정 물체(실종자, 야간탐지 등)를 찾거나 물체의 상태 (단열, 전기연결 불량 등)를 진단하기 위해 열 패턴을 확인할 수 있는 모든 환경에서 활용이 가능하다. 사물의 온도가 높을수록, 더 많은 적외선 방사선이 방출되는데 이러한 적외선을 이용하면 가시광선대역만 식별이 가능한 육안으로는 볼 수 없는 것을 열화상을 통해 확인할 수 있다.

정리하여, 적외선 열화상 측정은 열적인 조건에 따라 물체로 부터 방사되는 (우리 눈에는) 보이지 않는 적외선을 이미지로 보여주는 기술이다. 가장 전형적인 열화상 카메라는 일반적인 캠코더와 유사하며, 방사되는 열을 생생한 이미지화된 화면으로 보여주는 기능을 가지고 있다.

좀 더 복잡한 카메라의 경우 물체나 그 표면의 온도를 실제로 측정하여 가상의 컬러 이미지를 만들어 내어 열의 분포 상태를 보다 쉽게 파악할 수 있도록 해 준다. 적외선 열화상 카메라에 의해 만들어진 이미지를 thermogram이라 명칭하고 때때로 thermograph라 부르기도 한다. 적외선 열화상 검출기는 물체의 표면 온도 분포를 영상으로 볼 수 있게 물체의 표면에서 방사되는 적외선을 검출하는 장치이다.

일상생활에서 열과 관련된 모든 활동을 생각해 본다면, 그 적용분야가 무궁무진하다는 사실을 알 수 있을 것이다. 최근 공항이나 항만의 출입국 시 얼굴의 열을 실시간으로 감지하여 이상 발열정도를 나타내는 기술은 우리가 일상생활에서 가장 흔하게 접할 수 있는 thermography 기술이다. 이를 발전시킨 적외선 열화상 기술은 단순한 온도뿐만 아니라 검출된 적외선을 이용하여 비파괴 진단 및 검사, 고장분석, 응력해석을 통한 피로파괴, 의료 임상진단, 바이오 및 식품저장, 기능성 의류 및 화장품 분야 등에 응용되고 있다.

또한, 고도로 집적화된 적외선 열화상 이미지는 군수산업 및 항공우주에도 활용되어 항공기의 야간정찰, 기갑부대의 야간탐지, 해군의 원거리 적군 탐지, 우주 신호 탐사에 운용되어 왔으며 현재는 비파괴 탐지 기술의 한 영역으로 확고히 자리 잡으면서 지속하여 그 범위가 확대되고 있다.

1.1.3 검사 목적

적외선 및 열(열에너지) 검사는 고장을 예측하거나 진단하는 수단으로서 온도 및 열유동에 대한 측정을 망라한다. 이러한 시험을 위해서는 접촉 또는 비접촉 하는 장치나 이 둘을 조합하여 사용하게 된다. 시험 샘플에 의거한 온도 및 온도변화의 중요성을 이해하는 데에는 열 유동 및 재료의 열적거동에 대한 기초적인 지식이 필수적이다.

온도 또는 열(또는 열에너지)을 측정하는 형태는 접촉 및 비접촉 방법이 있다. 접촉형 장치로는 열전대(Thermocouple), 서모파일(thermopile), 서모크로마트(thermochromatic) 코팅 등 여러 형태의 온도계(thermometer)가 있다. 그리고 비접촉형 장치로는 대류(열유속)장치, 광학 고온계(pyrometer), 적외선 복사 온도계, 적외선 라인 스캐너, 적외선 열화상 카메라 및 시스템 장비 등이 있다.

적외선 열화상(infrared thermography)은 비파괴, 비침투, 비접촉으로 대상체의 표면에 관한 열적 패턴에 대하여 매핑을 하는 것이다. 이로부터, 열적 거동을 보통 진단하는데 사용하여 장비의 성능, 재료, 제품 및 공정의 온전성 등을 살펴볼 수 있다. 적외선 열화상에 사용되어지는 적외선 열영상 장비는 용도 및 제작 특성 등에 따라 종류가 매우 다양하며 그 구성 또한 복잡하다.

즉, 적외선열화상 기술은 물체에서 발산하는 적외선 또는 에너지를 적외선열화상 장비의 신호검출시스템으로부터 감지하여 물체의 온도, 온도변화, 온도분포 등으로부터 물체의 이상 유무를 재료의 파단이나 파괴없이 열영상을 판단하는 기술이다.

또한 적용되는 적외선 열화상 장비의 사양, 측정대상의 재료 및 측정방법 등이 적외선 비파괴검사에 지대한 영향을 준다. 보다 상세한 언급은 적외선 열화상 측정과 관련한 기기의 성능 변수들을 포함하여 고려되어야 한다.

결함을 갖는 재료 면에 나타난 결함·손상에 의한 온도 변화를 적외선 화상으로 검출함으로서 결함을 검출· 계측하는 열적 비파괴 검사법을 적외선 열화상 검사(Infrared thermography testing)라 불리고 있다. 적외선 열화상을 이용한 검사는 비파괴적으로 수행되므로 적외선 열화상 비파괴검사로 불려 지기도 한다.

한편 적외선 열화상 검사를 수행하는 일련의 과정 동안에 열적자료의 영상을 이미지한 열영상으로부터 생산되는 열지도를 서모그램(thermogram)이라 한다. 서모그램을 이해하고 해석하기 위해서, 적외선 열화상 시험을 수행하는 서모그래퍼(thermographer; 적외선열화상 측정요원)는 온도와 열전달, 적외선 복사 열유동, 적외선 열영상 측정기기의 성능 및 기타 열측정과 관련한 측정기기의 기초를 잘 갖추고 있어야 한다.

1.1.4 적외선 열화상의 역사

적외선 열화상 장치(카메라) - Infrared Thermal Imaging System (Camera)는 피사체의 실물을 보여 주는 것이 아닌 피사체의 표면으로부터 복사(엄밀히는 방사)되는 에너지(열 에너지)를 전자파의 일종인 적외선 파장(Infrared wavelength)형태로 검출, 피사체 표면의 복사열의 강도(양) (radiant heat intensity)을 측정하여 강도(양)에 따라 각각의 다른 색상(False or Pseudo color)으로 표현하여 주는 장치(카메라)이다. 이러한 장치들은 최초에는 군수용으로 제작되어 사용되어지다가 1950년대 말 스웨덴의 AGA INFRARED SYSTEMS AB. 사에서 이를 산업용으로 사용 할 목적으로 제작 하게 되었다. 1960년대에 적외선 열화상이 개발되고 나서 현재에 이르기까지 우수한 적외선 센서의 개발과 디지털 신호 처리 기술의 전진을 배경으로 적외선 열화상은 진보를 달성해 왔다.

초기의 적외선 열화상은 기계 주사형이라 불리고, 단일 또는 소수의 적외선 검출 소자를 이용하고, 2매의 평면 미러의 요동 혹은 다각형 미러의 회전에 의한 영역 주사를 실행하며, 온도 분포 화상(열화상)을 구성하고 있었다. 고성능의 적외선 검출 소자의 선택에 의해 온도 분해능은 0.1 ℃ 정도를 달성할 수 있었다. 그러나 기계적인 이차원 주사에 의해 화상을 구성하기 때문에, 1매의 열화상 내에서의 적외선 계측치에 관한 동시성이 낮고, 시간 변동하는 온도장의 계측, 이동하는 물체의 온도장 계측을 실행하는 경우의 측정 정밀도에 문제가 있었다.

또한 적외선 소자에 대해서도 고감도의 것은 액체 질소 온도까지 냉각하지 않으면 사용할 수 없는 것이 절반 이상이었기 때문에, 칠링 장치내에 액체 질소 듀어나 냉각 쿨러를 장비하지 않으면 안되며, 일반적으로 장치는 대형이고 반드시 가반성이 우수한 것은 아니었다.

1980년대의 후반, 적외선 검출 소자를 매트릭스 형상으로 배치한 포컬 프레인 · 어레이 센서를 탑재한 적외선 열화상이 개발되었다. 어레이 센서로는 적외선 검출 소자로부터의 신호를 전자 주사에 의해 판독하기 때문에 열화상 데이터의 동시성은 기계 주사형과 비교하여 현저히 향상되었다.

1990년대에는 어레이 센서의 화소수도 증가하고, 또한 소자로부터의 신호를 전자 주사하는 기술이 진보했기 때문에, 동시성이 우수한 정밀한 온도 분포 화상을 고속이며 고분해능으로 계측하는 것이 가능해졌다.

현재 InSb 검출 소자를 이용한 것에서는 NETD값(Noise Equivalent Temperature Difference; 노이즈 등가 온도차)은 0.025 ℃ 이하로 되어 있다. 계측 속도는 계측에 사용하는 화소수에 따라 상이하다. 예컨대 320 × 256 화소의 적외선 열화상의 경우, 풀 프레임 계측시에 345 프레임/초이지만, 공용하는 화소수를 1/4로 감소시키면 계측 속도는 약 4배로 되고, 밀리초 오더의 디지털 계측이 가능해진다. 디지털 계측에 있어서의 데이터 길이는 통상 12 ~ 14 비트이다.

최근 수년의 현저한 동향으로는 비냉각형 적외선 열화상의 긴급한 진보를 들 수 있다. 이제까지의 적외선 어레이 센서에는 액체 질소 온도까지의 냉각이 필요한 전자형의 적외선 검출 소자가 사용되고 있었던 것에 반해, 비냉각형 적외선 어레이 센서에는 보로미터 등의 열형 적외선 검출 소자가 사용되고 있다. 비냉각형 적외선 센서의 진보는 적외선 열화상의 소형·경량화 및 저가격화를 가능하게 했다. 최근에는 0.06 ℃ ~ 0.08 ℃의 우수한 NETD값을 값는 마이크로볼로미터형 적외선 어레이 센서를 탑재한 적외선 열화상이 개발되고 있다.

전술한 바와 같이 초기의 적외선 열화상은 기계 주사형이고, 시간적 변동이 작은 정상적 혹은 준정상적인 온도 분포이면, 양호한 정밀도로 열화상을 얻을 수 있었다. 이 때문에 기계 조작형 적외선 열화상에 의한 비파괴 검사는 준정상 상태에서도 결함에 의한 온도장 변화가 명료하게 나타나고, 단시간에 온도장 변화가 소실되기 어려운 경우를 대상으로 효과적으로 이용되었다. 송전· 배선 설비의 불량 개소의 이상 발열 검지, 건축물의 몰탈 · 콘크리트 법면의 박리 검지 등을 그 예로서 들 수 있다.

고성능 적외선 열화상의 등장은 물체 표면 온도를 고분해능 · 고정밀도로 계측하는 것, 화상내에서의 동시성이 우수한 온도 분포 데이터를 고속으로 계측하는 것을 가능하게 했다. 이 때문에 종래는 검출 불가능했던 결함에 기인하는 미소한 온도장 변화를 촉진하는 것이 가능해졌기 때문에, 결함 검출 분해능은 비약적으로 향상되었다.

결함에 의한 온도 변화가 열확산에 의해 산일 · 소실되기 전에 계측을 실행하는 것이 가능해졌기 때문에, 열확산성이 높은 금속 지료나 탄소 섬유계 복합 재료에 존재하는 결함의 검출도 가능해졌다.

1.1.5 적외선 열화상 주요 용어

적외선 열화상 비파괴검사에서 사용되는 주요 표준용어는 다음과 같다. 관련 용어의 분류는 일반, 기기 및 재료, 시험편 및 시험방법에 따라 분류 하여 다음과 같다.

1) 일반 용어

· 흑체(blackbody) : 입사하는 적외선 방사 에너지를 파장, 입사 방향 및 편광상태에 관계없이 모두 흡수해 방사하는 물체로 방사율이 1이 되는 이상적인 열방사체

· 회색체(gray body) : 방사율이 파장에 따라 변화하지 않고 1보다 작은 일정치를 가진 물체

· 적외선 방사 에너지(infrared radiant energy) : 적외선 즉, 파장이 가시광선의 파장보다 길고 1mm 보다 짧은 전자파로서 방사, 전달되는 에너지 [단위: J]

· 흡수율(absorptivity) : 물체에 흡수되어 열로 변하는 적외선 방사 에너지와 물체에 입사된 적외선 방사 에너지의 비. [기호: α] (그림 1.2 참조)

· 방사율(emissivity) : 물체의 적외선 방사 에너지와 그 물체와 동일 온도에 있는 흑체의 적외선 방사 에너지의 비 [기호: ε] (그림 1.2 참조)

· 반사율(reflectivity) : 물체에서 반사된 적외선 방사 에너지와 물체에 입사된 적외선 방사 에너지의 비.[기호: ρ] (그림 1.2 참조)

· 투과율(transmissivity) : 물체에서 흡수되지 않고 통과되는 적외선 방사 에너지와 물체에 입사된 적외선 방사 에너지의 비 [기호 : τ] (그림 1.2 참조)

· 겉보기 온도(apparent temperature) : 방사율을 1로 가정한 경우, 측정된 적외선 방사 에너지로부터 구할 수 있는 물체의 온도. [단위: K]

· 모서리 효과(edge effect) : 열탄성 응력 측정법에 의해 변동 하중을 부여할 때 물체의 변위 또는 변형 때문에 모서리 부분에서 측정오차가 생기는 것

· 배경 방사(background radiation) : 적외선 검출기가 측정대상면 이외의 면에서 검출하는 적외선 방사

· 대기창(atmospheric window) : 적외선의 파장 대역에서 대기에 의한 흡수가 적은 대역 (그림 1.3참조)

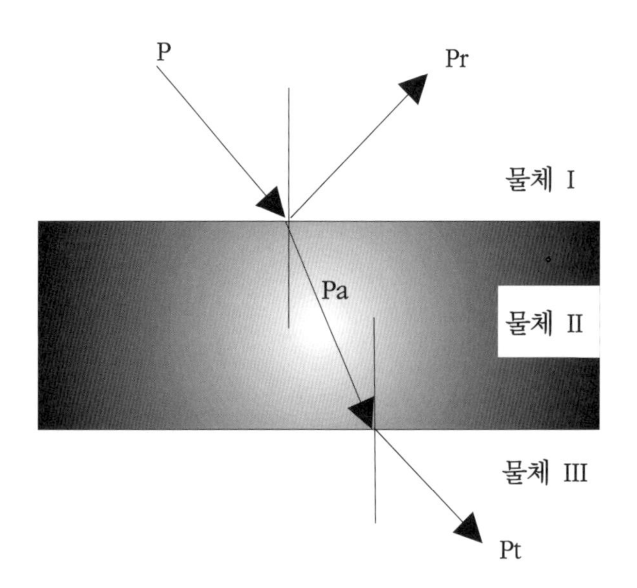

〔그림 1.2〕 흡수율, 방사율, 반사율 및 투과율의 관계

여기에서,

P : 물체에 입사하는 적외선 방사에너지

P_a: 물체로 흡수되어 열로 변하는 적외선 방사에너지

P_r: 물체에서 반사되는 적외선 방사에너지

P_t: 물체로 흡수되어 통과하는 적외선 방사에너지

정의에 의해, 흡수율, 반사율 및 투과율간의 관계는 다음과 같다.

흡수율; $\alpha = \frac{P_a}{P}$, (=방사율; ε)

반사율; $\rho = \frac{P_r}{P}$, 투과율; $\tau = \frac{P_t}{P}$,

$$P = P_a + P_r + P_t, \quad (1 = \alpha + \rho + \tau)$$

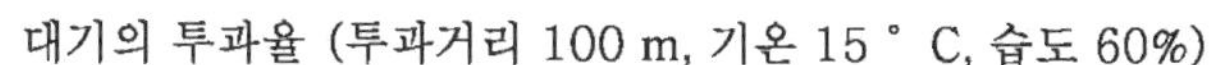

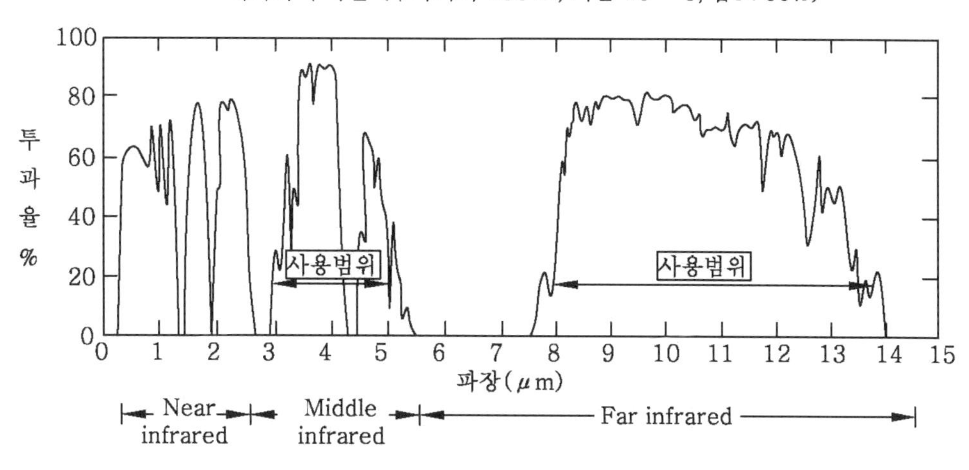

〔그림 1.3〕 대기창에서의 적외선 범위

2) 기기/재료

- 위상 조정(phase adjustment) : 대상물의 열 또는 하중부하에 따른 신호와 실제로 발생하고 있는 온도 변동의 위상을 조정하는 것
- 움직임 보상 (motion compensation) : 대상물의 변위, 변형 때문에 발생하는 측정 오차를 보상하는 것
- 응력 분해능(stress resolution) : 열탄성 응력 측정법에서 측정 가능한 주응력 합 변화의 최소치
- 온도 드리프트(temperature drift) : 주변 온도의 변화에 의한 적외선 방사계의 출력변동
- 온도 분해능(temperature resolution) : 식별 가능한 겉보기의 최소 온도차
- 화상 가중 평균(frame averaging) : S/N(신호 레벨/노이즈 레벨) 개선을 위해 화상을 종합해서 그것을 총수로 나눈 것
- 공간 분해능(spatial resolution) : 이차원 센서를 사용한 적외선 방사계에서 영상화할 수 있는 최소 시야각. 이차원으로 배열된 검출 소자의 피치 간격을 열화상 렌즈의 초점 거리로 나눈 값.(그림 1.4 참조)
- 최소 탐지 온도차(minimum detectable temperature difference ; MDTD) : 어떤 크기의 대상물을 검출하는 데 필요한 대상물과 배경과의 최소 온도차
- 최소 탐지 치수(minimum detectable dimension; MDD) : 측정 가능한 가장 작은 대상물의 치수 또는 길이. (그림 1.4 참조)

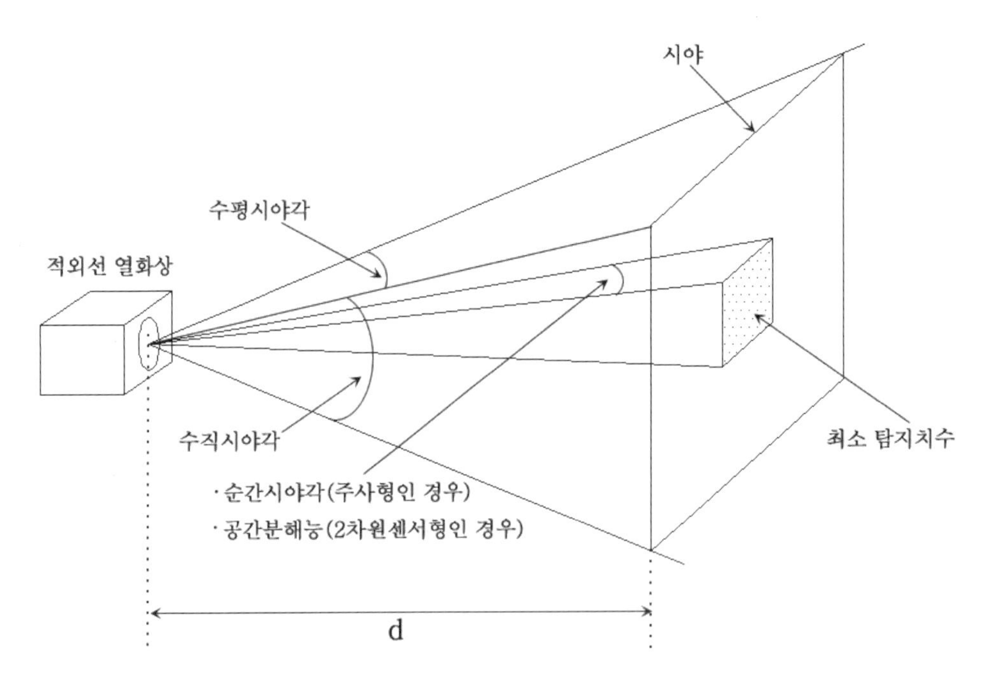

〔그림 1.4〕 공간분해능, 최소탐지치수, 시야각(FOV) 및 순간시야각(IFOV)의 관계

- 최소 분해 온도차(minimum resolvable temperature difference; MRTD) : 표준 슬릿 패턴을 식별하는 데 필요한 표준 시험편과 배경의 최소 온도차
- 잡음 등가 온도차(noise equivalent temperature difference; NETD) : 검출 신호가 잡음 레벨과 등가가 될 때, 대상물과 배경의 최소 온도차
- 시야각(field of view; FOV) : 측정할 수 있는 시야 범위. (그림 1.4의 수평 시야각과 수직 시야각을 총칭해서 시야각이라 한다.)
- 순간 시야각(instantaneous field of view; IFOV) : 주사 장치에서 각각의 검출소자를 영상화할 수 있는 시야각(그림 1.4 참조)
- 적외선 화상(infrared image) : 대상물의 표면에서 방출되는 적외선 방사 에너지의 강도 분포를 콘트라스트나 컬러 패턴에 맞게 배열한 화상
- 적외선 열화상 카메라(infrared camera) : 대상물의 표면에서 방출되는 적외선 방사 에너지를 검출하여 그 강도 분포를 화상 표시하는 장치
- 적외선 검출기(infrared detector) : 대상물의 표면에서 방출되는 적외선 방사 에너지를 검출하여 전기 신호로 변환하는 센서
- 적외선열화상(infrared thermography) : 대상물의 표면에서 방출되는 적외선 방사 에너지를 검출하고 겉보기 온도로 변환하여 그 분포를 화상 표시하는 장치 또는 방법

· 적외선 방사계(infrared radiometer) : 대상물의 표면에서 방출되는 적외선 방사 에너지를 측정하는 기기. 적외선 열화상도 포함된다.
· 다중 소자 센서(multi-elements sensor) : 적외선 검출소자를 일차원 또는 이차원으로 여러 개 배열한 센서
· 단소자 센서(single element sensor) : 한 개의 적외선 검출 소자로 이루어진 센서
· 열화상(thermogram) : 대상물의 표면에서 방출되는 적외선 방사 에너지를 겉보기 온도 분포로 콘트라스트나 컬러 패턴에 맞게 배열한 온도 화상
· 표시 화소수(number of pixels) : 모니터 상에 표시되는 열화상 또는 적외선 화상을 구성하는 최소단위(화소)의 수
· 프레임 시간(frame time) : 열화상 또는 적외선 화상을 연속하여 측정할 때의 화상 계측 주기
· 면적 효과(area effect) : 대상물의 면적에 따라 적외선 방사계의 출력이 변화하는 것
· 냉각식 센서(cooled sensor) : 적외선 방사 에너지의 검출 감도를 높이기 위해 열잡음의 영향을 경감시키도록 냉각을 필요로 하는 센서

3) 시험편/시험방법

· 표준 슬릿 패턴(standard slit pattern) : 최소 분해 온도차(MRTD)를 평가하기 위해 사용하는 표준 시험편에 존재하는 일반적인 슬릿 패턴 (그림 1.5 참조)
· 적외선 열화상 검사(infrared thermography testing) : 적외선열화상을 응용한 검사

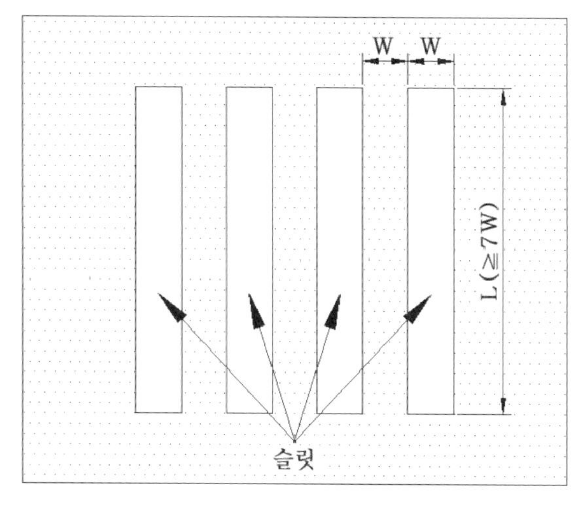

〔그림 1.5〕 표준 슬릿 패턴

1.2 적외선 열화상 검사의 원리

적외선 열화상 검사(Infrared Thermography Testing; ITT)는 원리적으로 검사 대상인 대상체로부터 방사되는 적외선을 적외선 측정기기에 의해 에너지를 감지하여 그 신호를 영상적으로 매핑한 열화상에 의해 대상체의 온도분포를 감지하여 결함 또는 상태를 비파괴 방식으로 검사하므로 일명 열화상 비파괴검사(Thermal Non-Destructive Testing: TNDT)로 불리운다.

또한, 국제규격(ISO)에서는 모든 적외선 열화상 검사를 총징하여 열화상시험(Thermography Testing; TT)으로 통칭하였다. 본 교안에서는 적외선 열화상을 포함한 열검사를 TNDT로 통일하여 칭하도록 한다.

1.2.1 검사 원리

적외선 열화상에 의한 검사 방법은 열 부하를 부여했을 대의 결함에 의한 단열 온도장을 검출하는 방법 및 결함 부위에 있어서의 자기 발열(흡열)에 의한 온도장을 검출하는 방법으로 크게 나눌 수 있다. 이하에는 각각의 방법의 특징에 대하여 간단히 설명한다. TNDT는 검사하고자 하는 대상체에 가해지는 외부 에너지원 유무 및 대상체 내 열원의 시간 종속성에 따라 대별된다.

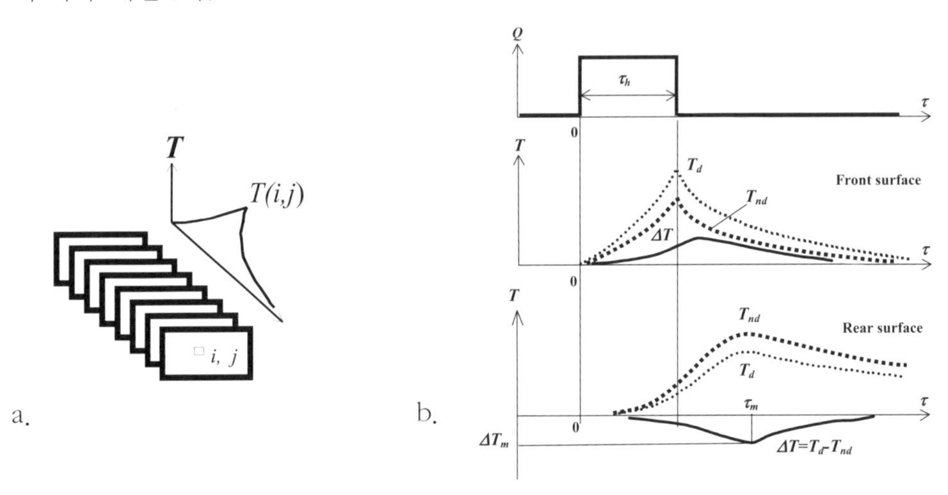

a - producing IR image sequence and $T(i,j,\tau)$ function,
b - heating pulse and producing ΔT differential temperature signal

〔그림 1.6〕 Basic temperature functions in Thermal NDT;

1.2.1.1 단열 온도장에 기초한 적외선 열화상검사

단열 온도장에 기초한 적외선 열화상법은 가장 널리 사용되고 있는 일반적인 방법이다. [그림 1.7]의 (a) 및 (b)에 도시하는 바와 같이 피측정물에 외부로부터 열부하를 부여했을 때, 결함에 의한 단열 효과에 의해 열이동이 방해받은 결과, 샘플 표면에 나타나는 온도 변화 영역을 검출한다.

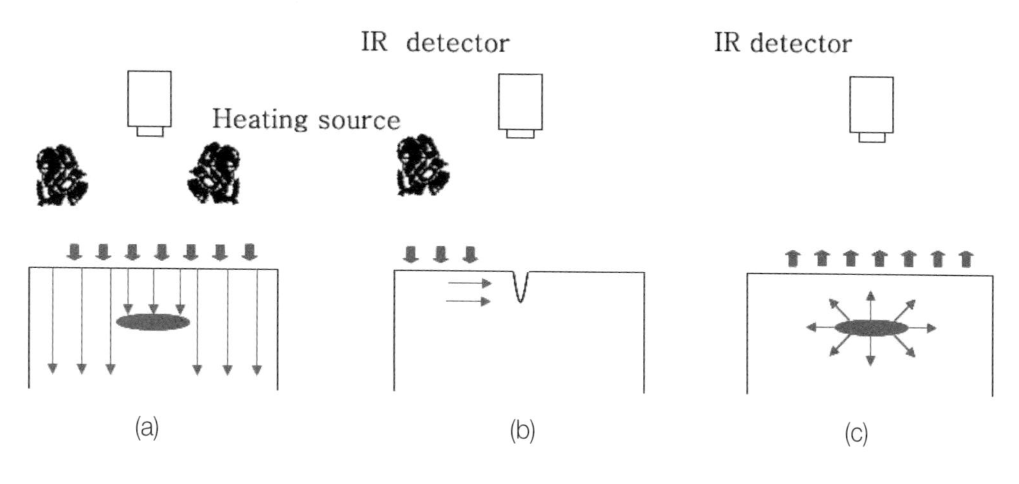

[그림 1.7] 적외선열화상 검사 방법

[그림 1.8]의 (a)와 같은 피측정물 내부의 박리 결함에 대해서는 면 외 방향의 열 이동이 사용된다. 열이동이 표면으로부터 내부를 향하는 경우에는 결함 부근의 피측정물 표면에는 고온 영역이 나타나고, 반대로 열이동이 내부로부터 표면을 향하는 경우에는 피측정물 표면에는 저온 영역이 나타난다.

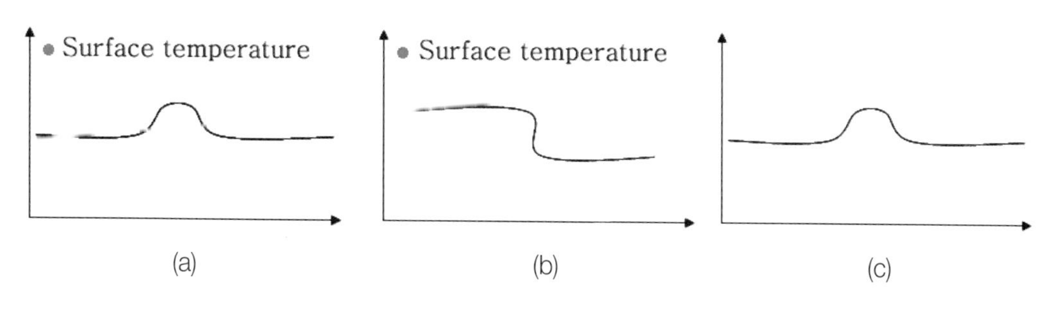

[그림 1.8] 적외선열화상 시험의 온도 메커니즘

이 온도 변화 영역의 위치 · 형성은 내부의 결함을 반영한 것이기 때문에, 적외선 열화상에 의한 온도 변화 영역의 계측 결과를 기초로 결함의 위치 및 형상을 동일하게 정할 수 있다.

또한 가열 후의 온도장 변화에 관한 시계열 정보를 이용함으로써 결함의 깊이 방향의 위치를 동일하게 정하는 것도 가능해진다. 다음에 [그림 1.8]의 (b)와 같은 피측정물 표면에 개구하는 균열을 고려한다. 균열에 대해서는 피측정물에 균열과 교차하는 면내 방향의 열 이동을 발생시킨다. 이 때 균열의 단열 효과에 의해 균열면 사이에는 온도차가 생기기 때문에, 이것을 적외선 열화상으로 검출함으로써 균열의 검출이 가능해진다.

그러나 표면에 개구하는 균열있는 [그림 1.7]의 (b)에 대해서는 그 밖에 유용한 검사법이 있기 때문에, 도장막 밑의 균열 검출 등 표면으로부터 육안 등으로 확인할 수 없는 경우에 적외선 열화상법이 효과적이다.

태양광이나 외기온 변동 등에 의해 피측정물에 자연히 발생된 온도 변화를 이용하는 방법을 패시브 적외선 열화상이라 칭하고 있다. 이것에 대하여 어떤 방법에 의해 피측정물에 강제적으로 열 부하를 부여하는 방법을 액티브 적외선 열화상법이라 칭한다. 측정 대상을 액티브 가열 · 냉각하는 방법에 대해서는 이하와 같은 다양한 방법이 측정 대상에 따라 사용되고 있다.

(가열법) 전기 저항 가열, 유도 가열, 램프 혹은 히터에 의한 복사 가열, 고온 기체 분사, 마이크로파 가열, 레이저 가열

(냉각법) 자연 및 강제 공냉, 액체 산포에 의한 기화열, 저온 가스 분사, 저온 고체 접촉

단열 온도장에 기초한 적외선 열화상법은 원리적으로는 어떠한 재료 자체에도 적용 가능하지만, 실체로는 재료내의 열확산에 의한 국소적 온도 변화 부위의 소실에 의해, 결함 검출 정밀도는 크게 영향을 받는다. 일반적으로 열전도성이 낮은 재료에 적용한 경우의 편이 양호한 결함 검출 감도를 얻을 수 있다. 이 때문에 고분자 재료 혹은 세라믹스계의 복합 재료, 접합 재료 및 피막 재료 등의 층간 박리 결함·손실의 측정에 효과적으로 적용할 수 있는 경우가 많다.

금속 재료나 탄소계 재료 등, 열전도성이 높은 재료에 적용하는 경우에는 급속한 열부하 직후, 결함에 의한 단열 온도장이 열확산에 의해 소실되지 않는 시감내에 온도 분포 측정을 고속으로 실행할 것이 요구된다.

1.2.1.2 자기 발열 온도장에 기초한 적외선 열화상법

[그림 1.7]의 (c)에 도시하는 바와 같이 결함 자신이 발열(흡열)원으로 되어 있는 경우, 혹은 외적 부하를 부여함으로써 결함 부위에 발열을 일으킨 경우에 [그림 1.8] (c)에 나타난 것과 같이 피측정물의 온도 변화에 기초하여 결함을 검출하는 방법이다.

결함 자신이 열원으로 되어 있는 경우의 결함 검출법이 효과적으로 이용된 예로는 항공기 구조에 있어서의 수침입부의 검출이 있다. 항공기의 기체는 비행중 저온에 노출되기 때문에 침입된 물이 영결한다. 착륙후 기체는 서서히 데워지지만, 영결된 부위는 잠시 저온을 유지하고, 온도 분포 화상에 있어서 물이 침입된 결함 부위는 국소적 저온부로서 검출된다.

1.2.2 열화상 원리

모든 물체는 절대온도 제로 캘빈(0 Kelvin) 이상에서 적외선 복사 에너지를 방출한다. 복사란 전도와 대류가 고체, 액체, 기체 등의 매질을 이용하여 열이동을 하는 것과는 달리 매질을 통하지 않고 복사선에 의하여 열을 이동하는 것을 말한다. 복사에 대한 원리는 2장에 상세히 기술하였다.

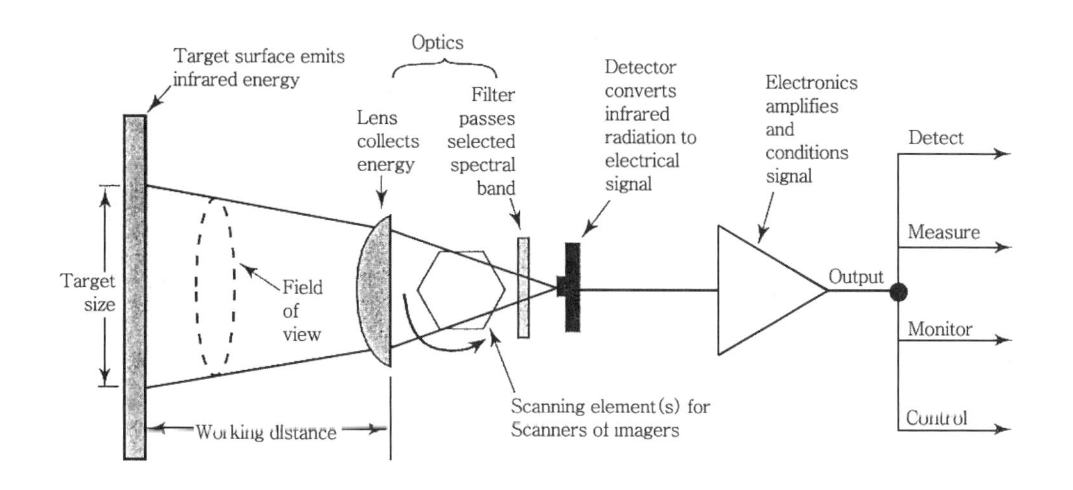

[그림 1.9] IR camera with addition of scanning element for imaging

적외선 열화상 측정 원리는 [그림 1.9]에서 보이는 것처럼 물체 표면에서 방출되는 적외선을 검출하여 그 물체의 온도분포가 높은 곳은 장파장의 적색으로, 낮은 곳은 단파장의 청색으로 나타낸 열화상이다. 따라서 열적으로 가열된 재료를 적외선 카메라를 통해 구조물의 표면온도 분포를 화상으로 알 수 있을 뿐 아니라 물체의 각 지점에 대한 온도분포까지 측정할 수 있다.

① Infrared energy는 imager의 광학렌즈를 통과한다.
② Energy는 imager의 sensor에 모아진다.
③ Sensor는 infrared energy를 electronic signal 변환한다.
④ 열 영상은 물체 표면의 온도를 수천 개의 점으로 높낮이에 따라 표현한다.

적외선 열화상 시스템은 1960년대부터 상용화되어 산업 각 분야에서 널리 사용되어 왔으며, 특히 전력시스템의 예방보전분야와 산업현장의 상태감시분야에서 많이 활용되었다. 최근 1990년대 후반에 들어서 소형 경량화된 일체형의 가격이 낮아져 2000년도부터는 더욱 많은 활용이 예상된다. 주요 용도를 표 1-2에 정리하였다.

표 1-2 적외선 열화상의 주요 용도

이 용 분 야		구체적 사례
산업분야 (연구·개발, 품질관리,에너지, 원자력 상태감시, 예방보전)	철강·금속	노벽검사, 프로세스 제어, 보전
	기계	금형 온도분포, 응력측정, 검사
	석유·화학	설비보전, 가열로·반응로 등의 공정관리
	요업·글라스	노벽검사, 공정관리
	주택·건설	단열효과판정, 박리검사, 시설물 유지관리
	전기·전자	실장부품시험, 열설계 평가시험
	전력·가스	발·변전 시설관리, 누설감지, 접속불량 검사
	경비·보전	침입자 감시, 화재 감시
	철도·도로	침입자 감시, 박리검사
의료분야	혈행장애	동정맥류, 백랍병 등의 검사
	자율신경장해	자율신경질환, 신경 블록 효과판정
	염증	표재성 염증, 경과관측
	종양	표재성 종양, 유방종양 등의 검사
군사분야	적군 동향 감시	침투적군감시, 군 이동파악
	군사무기	미사일 추적, 지뢰탐지

1.2.3 열화상 영상획득법

어떤 물체의 형태를 인식하고자 하려면 사람의 눈을 생각하면 쉽게 이해가 된다. 눈으로 넓은 영역을 보려면 얼굴을 돌리거나 눈동자를 돌리면서 전체를 인식한다. 여기에서 눈은 적외선 센서에 해당하며, 눈동자를 돌리는 것은 적외선 광학계에 해당한다. 그리고 얼굴은 적외선 영상 시스템 전체를 의미한다. 이와 같은 원리를 응용하여 두 가지 방법의 광학계를 이용하여 영상을 획득한다.

1.2.3.1 직렬주사식 영상획득법

먼저 [그림 1.10]와 같은 수평, 수직 거울을 돌리면서 전체를 인식하는 주사 방법(scanning type)과 [그림 1.11]와 같이 수평, 수직 거울 없이 인식하는 주시 방법(staring type)이 있다. 주사(scanning) 방법은 모니터에 나오는 물체를 실시간으로 보고자 하면 수평, 수직 거울을 고속으로 움직이도록 해야 한다. 왜냐하면 모니터의 주사선을 250선으로 보고, 영상을 무리 없이 보고자 하면 초당 24 프레임은 되어야 하므로, 기본적으로 세로축으로는 24×250에 의해 초당 6,000번을 움직여야 한다.

그리고 가로축도 같은 비율로 움직여야 하므로 세로축은 6,000×250에 의해 약 1 MHz 이상의 주기로 움직여야 한다는 결론에 도달한다. 그러므로 거울이 이렇게 빨리 움직이려면 구동 부분이 특수 설계로 이루어져야 한다. 보통의 평면거울로는 이 속도를 도저히 낼 수 없기 때문에 8각형 또는 그 이상의 각을 이룬 거울을 사용한다.

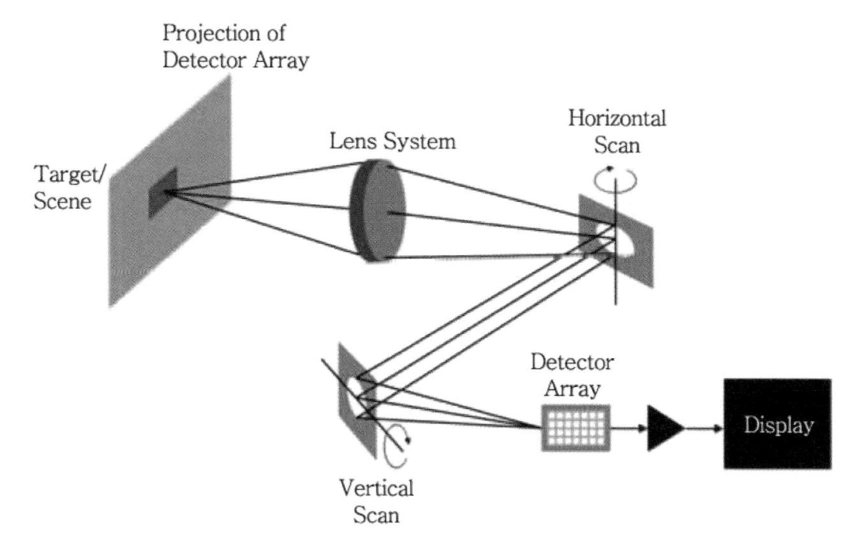

[그림 1.10] 주사방법-직렬주사(Scanning type-Serial scanning)

이 방법의 장점은 주사하면서 신호를 증폭하여 신호 대 잡음비를 높일 수 있는 것과 센서의 소자 개수가 작아도 된다는 것이다. 그러나 광학계의 복잡성 때문에 시스템 자체의 크기와 무게 때문에 이 방법보다는 주시 방법으로 기술이 옮겨가고 있다.

1.2.3.2 센서감응식 영상획득법

주시(staring) 방법은 주사 방법과는 달리 거울이 없는 대신에 센서의 소자 하나 하나가 모니터의 한 픽셀에 해당하도록 설계되어 있다. [그림 1.11]에서 보이는 것처럼 센서의 소자 개수가 많으면 많을수록 화면에 나타나는 화질은 그만큼 향상되며, 복잡한 광학계가 없기 때문에 크기 및 무게에서 많은 이점을 갖고 있다.

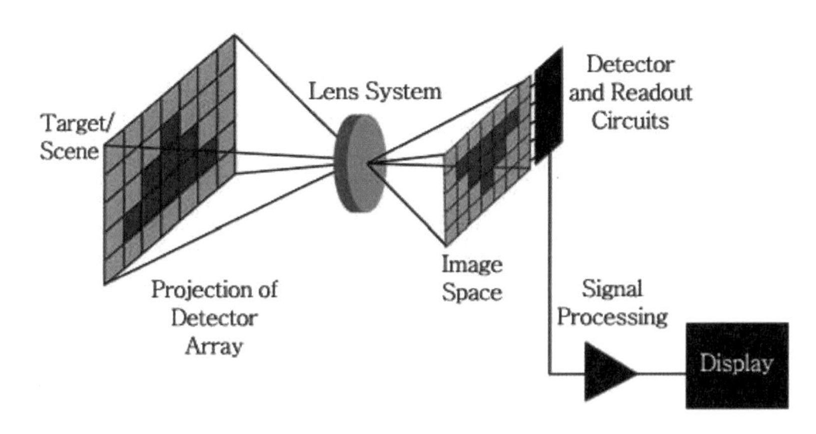

[그림 1.11] 주시방법 (Staring type)

주시 방법에 사용되는 적외선 센서는 256×256 이상의 이차원 배열을 갖는 소자가 필요하며, 현재 센서의 재료에 따라 다르지만, PtSi를 사용한 경우 1024×1024 배열을 갖는 센서가 개발되어 실용화되었으며, 가장 성능이 우수한 HgCdTe 반도체형 센서인 경우 512×512 배열까지 개발되어 있다.

주사 및 주시 방법으로 광학계에서 센서에 적외선을 집속시켜주면 센서는 적외선과 반응하여 전압 또는 전류를 발생시킨다. 그런데 센서의 소자 개수가 많아지게 되면 소자 각각의 특성들이 일정하지 않기 때문에 신호처리기에서는 각 소자의 신호 크기를 보상해 주거나 반응을 하지 않는 소자의 신호도 보상해 주어 모니터에 깨끗한 영상이 구현되도록 해야 한다. 이러한 역할의 내용을 [그림 1.12]에 나타내었다.

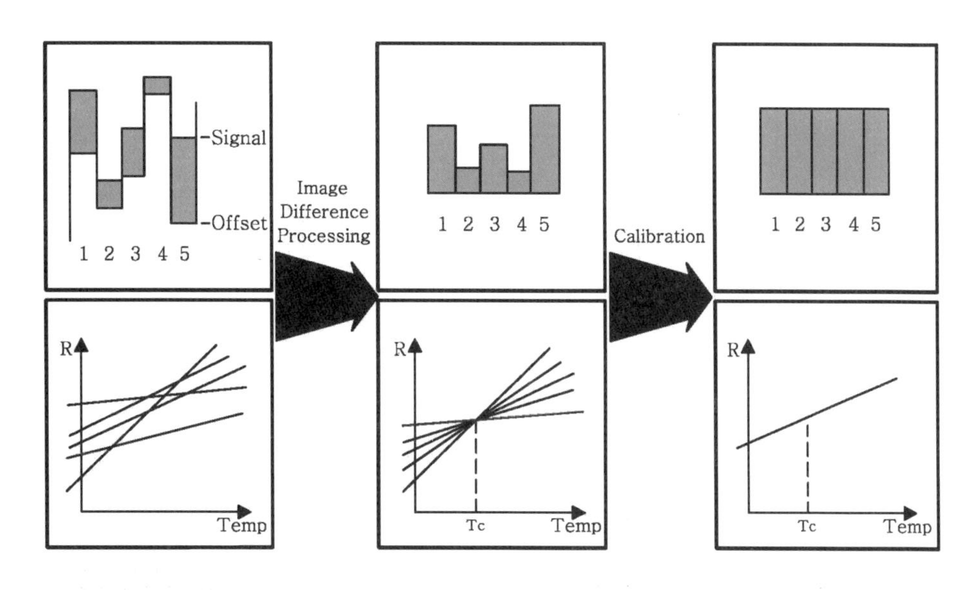

[그림 1.12] 신호처리기(Signal processor)

첫 번째 그림은 각 소자의 특성들이 서로 다른 특성을 갖고 있음을 나타내고 있다. 주위 온도에 변화에 대해 반응하는 정도와 기준점인 offset이 모두 다르다. 이것을 두 번째 그림에서 기준점인 offset을 모두 맞추고, 세 번째 그림에서처럼 소자의 특성을 모두 균일하게 맞추어 주면, 온도 변화에 대한 반응 정도가 모두 동일하게 나타나게 되어 깨끗한 상을 얻을 수 있는 것이다.

적외선 열화상기술에서는 결함은 적외선 이미지에서 결함이 차지하고 있는 화소수(pixel)로 크기를 대략적으로 추정할 수 있다. 일반적으로 결함의 크기측정을 위해서는 먼저 지시자를 이용하여 적외선 카메라의 화각에 따라 단위 화소에 대응하는 실제 길이를 구하고, 단위 화소에 대응하는 길이를 결함이 차지하는 화소수에 곱함으로서 결함의 크기를 산정하는 방법을 사용한다. 즉, 결함의 크기(mm) D는 식 1.1과 같이 표현된다.

$$D = M \times \left(\frac{L}{P}\right) \quad \cdots\cdots\cdots\cdots (\text{식 } 1.1)$$

여기에서, L은 지시자(calibrator)의 길이(mm), P는 지시자의 길이에 대응하는 화소수(pixel), M은 결함이 차지하는 화소수 (pixel)이다.

1.2.4 열화상 온도 색인

1.2.4.1 적외선카메라의 온도감지

적외선 열화상 측정 원리는 아래 [그림 1.13]에서처럼 물체 표면에서 방출되는 적외선을 검출하여 그 물체의 온도분포가 높은 곳은 장파장의 적색으로, 낮은 곳은 단파장의 청색으로 나타낸 열화상이다.

따라서 열적으로 가열된 재료를 적외선 카메라를 통해 구조물의 표면온도 분포를 화상으로 알 수 있을 뿐 아니라 물체의 각 지점에 대한 온도분포까지 측정할 수 있다.

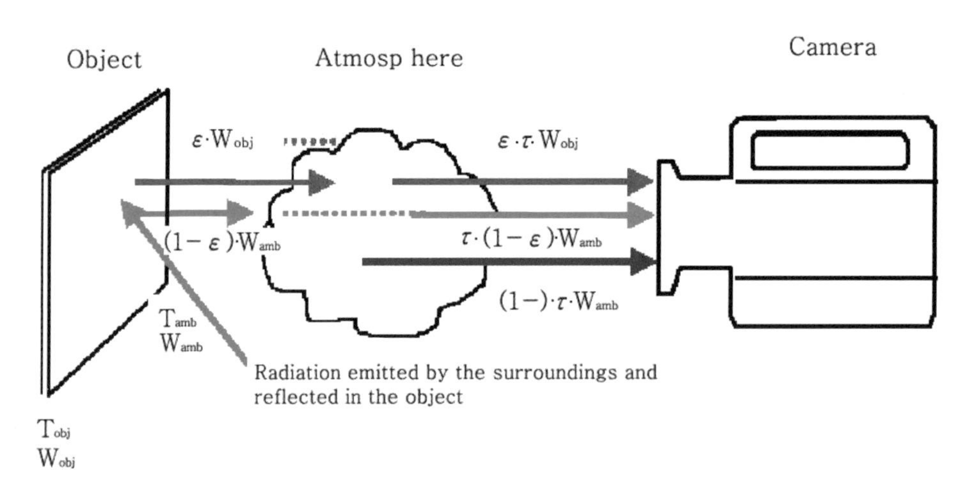

[그림 1.13] TNDT의 온도 감지원리

1.2.4.2 적외선 열화상 검사의 트릭

적외선 열화상 검사를 통해 다양한 활용분야에 따라 온도측정을 통해 활용되어질 수 있음은 주지의 사실이다. 그러나 측정시스템을 통한 온도의 측정을 위해서는 다양한 소프트웨어적인 프로그래밍 및 데이터 처리를 통한 것임을 인지해야한다. 이처럼 기술적 해석으로부터 적외선에 대한 대표적인 트릭은 다음과 같다.

1) 열화상 온도지표의 구체성 결여

열화상 측정기기의 흰색이 최고 고온이고 검정색이 최저 온도를 나타낸다. 따라서, 적색은 고온부이고 청색은 저온이다. 그러나, 열화상 측정기기로 보여지는 영상을 통해 보여지는 색을 나타내는 온도지표는 구분을 쉽게 하기위해 임의로 배정한 색이다. 소트트웨어의 프로그래밍에 의해 조색판을 통해 대응된 색으로 구체적인 온도지표를 표시한 것이 아니고 온도의 차이를 나타낸 것이다.

2) 측정 온도의 실체성 차이

열화상 측정기기로부터 표시되는 온도는 실체적으로 온도를 적확히 표현하는 것은 아니다. 모니터에 나타난 온도는 대상체 표면의 재질 성분이나 재질의 상태(매끄러움 또는 거칠, 반사도 등)나 재질의 상태량에 따른 것으로 실제적으로 대상체의 온도와 열화상 표시 온도는 서로간 다를 수 있다.

예를들어, 복사율이 높은 재질의 표면이라면 실제의 온도에 근접할 가능성이 높으나 복사율이 낮다면 실제의 온도는 표시된 값보다 낮을 것이다.

3) 유리창 효과(window effect)

인간이 볼 수 있는 빛의 범위는 가시광선대이다. 즉 시각적으로 인간이 볼 수 있는 곳의 온도는 열화상 시스템으로도 확인이 가능하다. 그러나 열화상 시스템은 적외선 에너지를 감시하여 온도를 나타내는 것이므로 실제 우리가 볼 수 없는 영역의 온도를 본다고 할 수 있다.

따라서, 우리가 볼 수 있는 범위가 아니라 적외선 측정기기로부터 유리창을 통해 대상체의 온도분포를 확인하는 것이다.

1.3 적외선 열화상 검사방법 분류

적외선 열화상 검사 방법은 비접촉으로 시험검사 하고자 하는 대상체로부터 측정기기인 적외선 카메라 또는 적외선시스템을 일정거리에 떨어진 위치에 두고 대상체로부터 얻어지는 열적 데이터로부터 대상체의 온도를 판별하여 측정하고자 하는 목적을 취득하는 것이다

적외선 열화상 검사(Thermal Nondestructive Testing; TNDT)는 검사하고자 하는 대상체에 가해지는 외부 에너지원 유무 및 대상체 내 열원의 시간 종속성에 따라 대별된다.

1.3.1 대상체에 가해지는 외부 에너지원 유무 분류

상기 1.2에서 기술된 바와 같이 일반적으로 검사하고자 하는 대상체에 가해지는 외부 에너지원(energy souce)의 유무에 따라 에너지원이 없는 수동적인(passive) 방법과 가해지는 열원이 있는 능동적인(active) 방법이 있다. [그림 1.14]은 시험편에 외적 열자극원인 백열등을 이용해 간단한 적외선열화상 검사방법을 도시한 것이다.

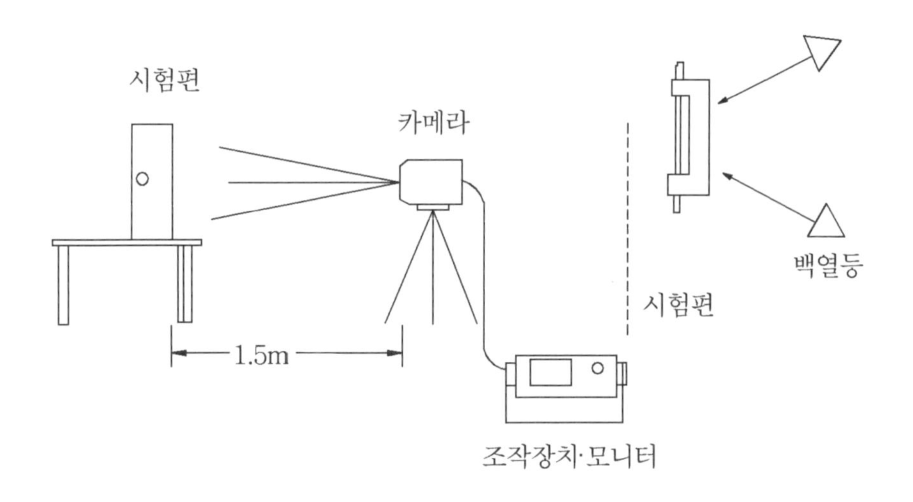

[그림 1.14] TNDT의 촬영배치

가열부 또는 외적자극에 의한 에너지원이 없는 수동적인 검사방법에서, 시험 대상체는 대상체의 기능성에 기인하거나 기술적인 이유로 인해 자연적으로 나타나는 온도분포에 의해 특징지어진다. 반면에, 능동적인 검사방법은 외부의 열적 자극을 요구한다.

추가로, 결함 또한 수동적이거나 능동적인 열원을 수반하는 수도 있다. 이를테면, 열에너

지를 발생하거나 흡수하는 능동적인 결함에 대해서는 수동적인 검사를 통해 결함을 찾아낼 수 있다. 수동적인 TNDT에서, 시험 방안(scheme)은 찾고자하는 결합 근처의 샘플 표면을 적외선 기기로 측정하여 표면 또는 표면 아래의 결함들이 얼마나 가장 효과적으로 검출되어 질 수 있는지에 따라 결정된다.

액티브 방식에는 표 1-3에 나타낸 바와 같이 대표적으로 3가지의 검출방법이 고안되어 사용되고 있다.

① 부재를 가열하여 열의 흐름을 만들어 온도 변화를 검출하는 방법
② 부재를 가열할 필요가 없이 부재의 뒤쪽에 열원을 두고 투과광의 세기 분포를 검출하는 방법
③ 투과광을 이용하는 방법

이중 ③은 적외선 서모그래피의 검출 파장대와 부재의 투과 파장대가 일치할 때에만 제한적으로 이용할 수 있다. 능동형 TNDT의 동적 특징으로 결함부위에서의 차등 온도차(ΔT)에 의한 신호의 시간 증감분으로 결함을 계측한다.

적외선 열화상의 수동 및 능동적 검사방법에 대한 상세한 기술은 4.1에서 상세히 기술하도록 한다.

1.3.2 시간 종속 분류

시험 대상체의 열적 상태가 시간에 따른 종속성 여부에 따라 정상상태(steady-state 또는 stationary)와 천이상태(transient-state 또는 non-stationary) 또는 동적인(dynamic) 검사방법으로 분류된다.

한편, 짧은 시간대에서 시간에 종속인 천이상태(transient status) TNDT에서, 측정결과는 검사시간에 크게 의존한다. 이러한 특색은 능동형 TNDT에서는 고급화된 데이터 프로세싱 알고리즘을 사용할 것을 요구하기 때문에 중요하다.

일반적으로, 대부분의 적외선 열화상 시험은 열원 상태를 시간에 따라 변하지 않는 상태로 가정하지만 특히, 실험에 의한 TNDT에서는 열적상태가 온도가 일정한 것인지 열유동량(또는 열유속)이 일정한지를 명확히 분류해야 한다.

1.3.3 적외선 열화상 검사의 열원

대상체에 가해지는 외부 에너지원의 위치, 대상체 내 열원의 형상, 대상체에 가해지는 외

부 에너지원의 입력신호 형태 등에 따라 다양하게 분류가 이루어진다.

1.3.3.1 열원 위치 분류

능동형 TNDT에서, 시험대상체에 대해 외부 에너지원인 가열부와 온도 기록장치인 적외선 계측기기의 상대적 배치는 결함 탐지성에 영향을 미치고 실질적인 측정에 있어 매우 중요하다. 적외선기기와 가열부의 배티에 따른 TNDT를 나타낸 것이 [그림 1.15]이다.

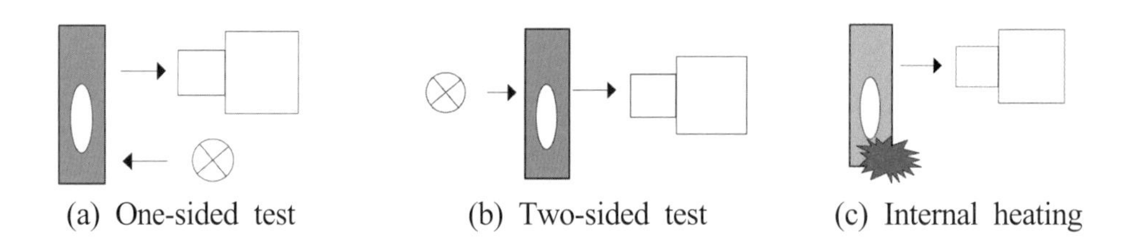

[그림 1.15] 적외선기기와 가열부 배치에 따른 TNDT[2]

시간에 따라 열원이 변화하는 천이상태 TNDT에서 [그림 1.15] (a)의 한 방향 검사방법에서 명백히 유리하다. [그림 1.15] (a)는 한편으로 초음파펄스 에코방법와 유사하여 '반사 검사' 로 종종 일컫는다. [그림 1.15] (b)의 두 면 검사방법은 투과 검사방법으로 시편을 통과하는 가열이 요구되며 재료의 두께가 두껍거나 열적으로 단열된 경우에는 적용할 수가 없다. 전류가 시편을 통과하게하는 내부 가열을 나타내는 [그림 1.15] (c)에서는 결함이 최고온도 변이를 가질 때 시편부 면적을 모니터하여야 한다.

1.3.3.2 열원 형상 분류

또 다른 TNDT 과정의 분류는 열원의 크기와 형상에 따른 것으로 [그림 1.16]과 같이,

1) 점(또는 포인트)주사 TNDT
2) 선(또는 라인)주사 TNDT
3) 적외선열화상 NDT

가 있다.

[그림 1.16]의 (a)는 특정 포인트를 복사계로 검사하는 점주사 TNDT방식으로 일명 point- by-point(또는 spot-by-spot) 주사 TNDT로도 불리운다. 이 방법은 아주 작은 부위의 시편을 일정 온도로 가열하여 가열된 부위로부터 특정거리만큼 떨어진 곳에 위치해있

는 점과 같은 위치에서 측정하는 것이다. 따라서, 깊은 결함을 탐지하기위해서는 거리가 더 멀어져야 한다. 이 방법은 크랙이 가열된 부위에 수직으로 위치한 경우에만 적용이 가능하며 단점으로는 검출 속도가 늦다는 것이다.

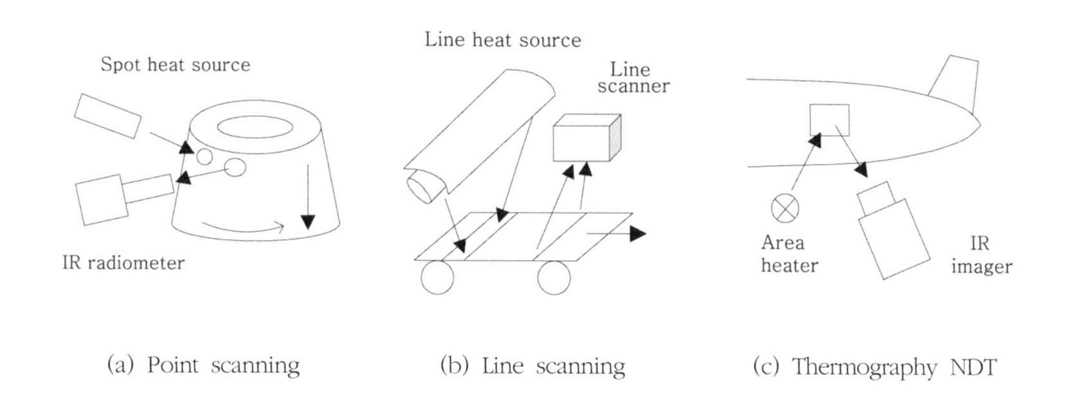

(a) Point scanning (b) Line scanning (c) Thermography NDT

[그림 1.16] 가열부 크기 및 형상에 따른 TNDT[2]

[그림 1.16] (b)의 라인주사 TNDT는 [그림 1.11] (a)의 포인트 주사 TNDT와 [그림 1.16] (c)의 적외선열화상 NDT의 중간 검사방식으로, 일명 면적에 의한(area-by-area) TNDT로도 불리운다. 이 방법에서 시편은 스트립 히터(strip heater)로 자극을 받으며 온도는 선주사식의 적외선 복사계로 기록된다. 스트립 가열은 비교적 균일하게 쉽게 만들어질 수 있고 검사방식 속도는 점주사 방식에 비해 빠르다.

[그림 1.16] (c)의 적외선 열화상 NDT는 보다 넓은 면적에 열을 가하여 시편으로부터 감지되는 적외선 영상을 모니터하는 방식이다. 최근 들어서, 새로운 적외선 영상기의 개발과 강력한 고출력 플래쉬 등이 시장에 출현함에 따라 이 기술이 가장 널리 쓰이고 있다. 적외선열화상 NDT의 효율은 적외선 영상 프로세스의 진보된 알고리즘에 의해 상당히 향상되어질 수 있다.

1.3.4 TNDT의 열적 자극

TNDT에서 시험을 할 때 사용되는 열적 자극은 가열하는 방법과 냉각하는 방법으로 크게 분류된다.

[가열법]
1) 광학적
2) 유도전류
3) 마이크로웨이브
4) 전기 전류
5) 기계적
6) 고온의 가스나 유체

등을 사용한다. [그림 1.17]은 대표적인 가열 프로파일을 도시한 것이다.

[냉각법]
1) 자연공냉
2) 액체산포에 의한 기화열
3) 저온가스 분사
4) 저온고체 접촉

등의 다양한 방법이 있다.

한편, TNDT의 이론에 따라서, 표면 아래의 결함에 대한 최고의 민감도는 모든 상기 언급된 방법들 중 5)와 6)을 제외한 방법들에 의해 짧고 강력하게 얻어질 수가 있다.

열적자극(가열 또는 냉각) 온도장에 기초한 적외선 열화상법은 원리적으로는 어떠한 재료 자체에도 적용 가능하지만, 실체로는 재료내의 열확산에 의한 국소적 온도 변화 부위 소실에 의해 결함 검출 정밀도는 크게 영향을 받는다.

일반적으로 열전도성이 낮은 재료에 적용한 경우에 양호한 결함 검출 감도를 얻을 수 있다. 이 때문에 고분자 재료 혹은 세라믹스계의 복합 재료, 접합 재료 및 피막 재료 등의 층간 박리 결함·손실의 계측에 효과적으로 적용할 수 있는 경우가 많다. 금속 재료나 탄소계 재료 등, 열전도성이 높은 재료에 적용하는 경우에는 급속한 열부하 직후, 결함에 의한 단열 온도장이 열확산에 의해 소실되지 않는 시간 내에 온도분포 계측을 고속으로 실행할 것이 요구된다.

또한 열적자극이 가열법인 상기 가열 방법 중 TNDT를 시행함에 있어 1)항의 광학적으로 제공되는 열펄스 형태는 [그림 1.18]와 같다.

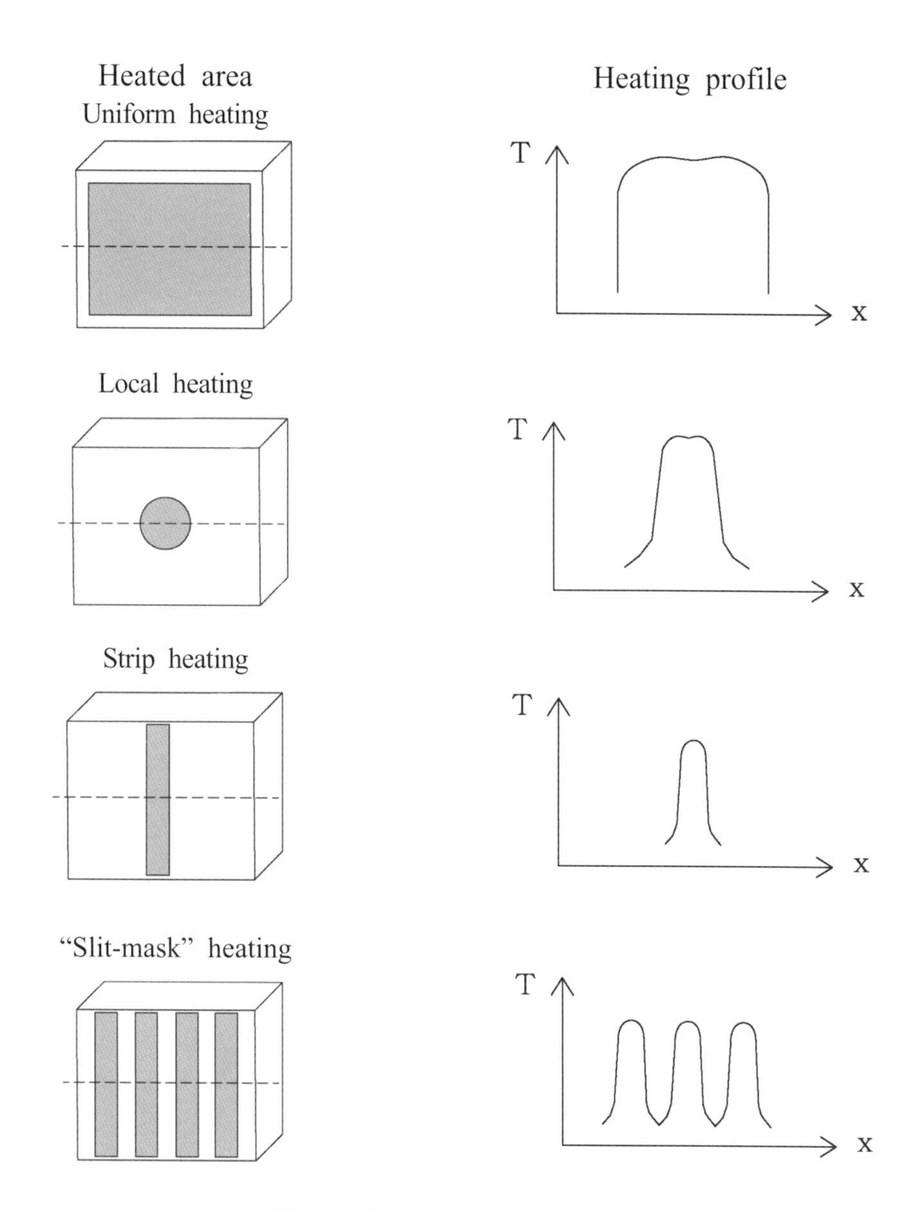

[그림 1.17] Heating profiles[2]

Dirac pulse	Square pulse	Gaussian pulse	Thermal wave

[그림 1.18] Heat pulse shape accepted in TNDT

1.4 적외선 열화상 검사의 적용 및 특징

적외선 열화상 검사는 대상체의 결함에 따른 열적 특성이 곧 결함 또는 진단을 위한 요소이므로 이에 대한 열전달 이론을 충분히 숙지해야 적외선 열화상 검사를 이해하기가 용이하다. 열전달에 대한 이론은 2장에 기술되어 있으며, 여기에서는 적용 및 특징에 대하여 간략히 기술하도록 한다.

1.4.1 적외선 열화상 검사의 적용

적외선 열화상은 대상으로부터 방사하는 열에너지원을 감지하여 촬영되므로 무해성, 신속성, 다중, broad-scanning 등 이점이 다양하며 이에 따른 활용 역시 광범위하다.

▷ 전기 배전 시스템
- · 발전기 검사
- · 변전소 검사, 변압기, 콘덴서 평가
- · 여분의 분배기 검사 / 전기 모터 검사

▷ 기밀용기와 구조체 제작
- · 빌딩, 공장, 시설물, 정련소 열손실 검사
- · 빌딩, 콘도의 기계설비에 대한 습기 검사
- · 콘크리트 무결점 검사
- · 누설과 온도 분포에 대한 가열층 콘크리트

▷ 방수시험
- · 잘못된 위치 혹은 단열재 손상 탐지
- · 공기누설 에너지 손실 확인
- · 장치 개장의 열성능 평가
- · 복사열선 혹은 파이프의 위치
- · 콘크리트 다리 상판의 적층박리 검사

▷ 지붕(roofing) 시스템
- · 빌딩, 공장, 시설물의 평판 지붕 누설 검사
- · 빠르고 정확한 지붕의 누수확인

· 좋은 상태의 지붕의 노후 진단
· 사실에 근거한 정확한 예산 세우기
· 보증/계약만료 전에 문제를 문서화 하기

▷ 기계 시스템 (보일러 예)
· 버너유지와 화염 충돌에 대한 버너시험
· 연료의 연소형태 및 불완전 연소 관측
· 보일러 대기상태, 운영 시 관 온도 감지
· 습기기 없는 보일러 부분의 온도 스캔
· refectory 손상 가능성 있는 온열부 위치,
· refectory 손상에 대한 보일러 외부 온도
· 발전소 보일러 굴뚝에서 연소가스 감지
· 기계 베어링 검사 및 냉장고 냉각 손실
· 열 배출 공기조화 및 냉난방 장치 평가
· 냉각 장치에서 단열재 손실 탐지

▷ 석유 화학 적용
· 정련과정 라인의 단열손실 혹은 누설 탐지
· 정련 과정 및 열교환기 질과 효율 평가
· 노 내화물질 및 내부 화염평가와 관 검사
· 화염 전파 폭발 해석

▷ 전자 장비, 자동차 및 항공기 응용
· 프린트 회로 기판 평가와 고장수리
· 반도체 장비 서비스의 열 매핑
· 회로 기판 부품 평가
· 결합구조의 production-type 검사
· 혼성 미소회로, 납땜부 검사
· 경기용차 완충기와 타이어 접촉 진단
· 제동장치 성능과 냉각 효율 및 엔진 평가
· 연료분사 노즐 결함 찾기
· 항공기의 제어 표면과 레이더부 누수

· 타이어와 제동장치의 진단
· 방풍유리와 날개 표면 방빙 시스템 진단
· 피로 균열과 부식 확인과 위치
· 제트와 로켓 엔진 및 목표 신호 해석
· 복합재료 적층박리와 결함 부분의 위치

▷ 의료 / 수의과에 대한 적용
· 체열, 충격, 척추 손상, 의료 상해 시험
· 질병 평가 - 유방암, 관절통 등
· 치과 implanting, 치열 기능 장애 등
· 운동 상해 평가, 통증부위 치료과정
· 말 상처 시험, 피로 파괴, 다리 저는 것

▷ 대중 수송에 관한 적용
· 파이프라인 누설 피로 부식 균열 검사
· 환경 검사, 오염물 투기, 오수의 열적 투기
· 송전선에 대한 고전압 공중선 검사
· 검색과 구조 / · 보호소 감시

▷ 펄프와 종이
· pulp roller 증기 상자 균일 열분포 감지
· 종이질의 불균일성, 젖은 부분 확인
· 기본 중량확인 size press 성능 모니터
· 건조기안 온도 불균일성해석
· paper 공정 장비의 비정상 roller 해석
· hot spot 지점에 대한 chip files 검사

▷ 증기 터빈과 수력 발전소 발전기
· 고정자 코어내 내부판 손상 위치 탐지
· 손상된 지역 효과적 수리를 위한 모니터링
· 고정자 코어를 수리하는 동안
· 수리용 고정자 코어의 열화상 모니터링

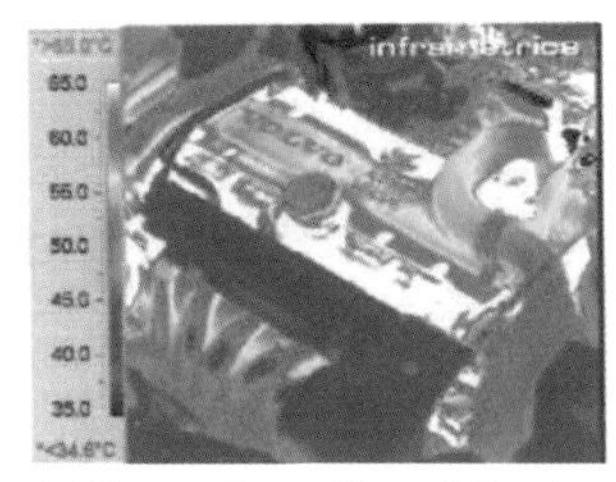
a) Thermal profile of Engine

b) Electrical Systems

c) Heat Loss in Structures

[그림 1.19] Typical utilizations of IR Thermography

1.4.2 적외선 열화상 검사의 장점

적외선 열화상은 대상으로부터 방사하는 열에너지원을 감지하여 촬영되므로 무해성, 신속성, 다중, 광주사(broad-scanning) 등 이점이 다양하며 비접촉, 비파괴방식으로 검사함으로서 정지나 동작상태에서의 결함탐지가 가능하다.

- 갑작스런 동력중단 사태를 막을 수 있다.
- 동작 중단 없이 신속히 문제를 찾아낸다.
- 정확한 거동에 대한 우선순위를 매김한다.
- 유지보수와 고장수리에 대한 최소 예방이 가능하다.
- 생산자 보증 하에 결함 장치의 확인이 가능하다.

적외선 열화상법은,

(1) 원격으로부터의 검사가 가능하기 때문에, 검사를 위한 족장이나 특수 장치가 불필요,
(2) 대상물의 2차원 화상에 의한 검사이기 때문에 단시간에 광범위의 검사가 불가능,
(3) 결함의 위치나 형상을 시각적으로 추정 가능
(4) 적외선 광학계의 선택에 의해 측정 시야를 자유롭게 변경할 수 있는 등

장점을 갖고 있기 때문에 광역 주사(broad-scanning)방식에 의해 특히 대형 구조물의 비파괴 검사법으로서 대형 플랜트 설비나 화학공정 시설 등에 적용이 가능하다.

1.4.3 적외선 열화상 검사의 한계

적외선 열화상 검사는 원리적으로 복사관련 열/에너지가 매질을 통과하여 전달되는 에너

지량을 측정하여 검사를 수행하는 특징이 있다. 따라서, 대상체와 적외선 측정기기 사이에 있는 매질의 특성에 매우 민감하다. 앞서 기술된 바와 같이, 적외선 열화상 검사는 원리적으로 검사 대상인 대상체로부터 방사되는 적외선을 감지하는 기술로서 대상체 내부의 온도를 측정할 수 없다.

따라서, 단점으로는 기본적으로 외부의 온도만을 측정한다. 물론, 특정한 기술적 적용과의 융합으로 일정 두께의 검사체 내부의 온도를 측정하는 기법이 최근에 활발히 개발이 되고 있다.

또한, 복사에너지를 감지하는 특징으로부터 검사 대상체와 열화상 측정기기 주변 매질에 영향을 받는 한계를 갖는다. 이에 대한 상세한 언급은 2장 3절 및 3장에 상세히 기술되어 있다.

제 2 장 적외선 열화상 검사의 기초이론

2.1 온도와 열전달

본 절에서는 적외선 열 화상 및 가시광선 영상의 화상처리에 필요한 온도 척도, 열전달, 방사도, 주변 복사 등의 기본 개념을 살펴본다.

2.1.1 온도 척도(Temperature scale)

1) 온도(temperature) 정의

일반적으로 온도는 "느끼는 온냉의 정도" (Feeling of hotness or coldness)으로서 정의가 어렵다. 이에 따라서 또 다른 정의로 온도의 동등성(equality of temperature)으로 설명할 수 있다. 즉, 차갑고 뜨거운 두개의 물체가 일정시간 후 동일 온도화를 의미하며 이를 "온도가 같다" 는 열역학0법칙(Thermodynamics Zeroth Law)이라고 일컬으며 이로부터 온도를 정의한다.

2) 온도척도

압력이 낮은 범위에서 체적이 일정할 때 기체의 온도는 압력에 비례하며 식(2.1)과 같다.

$$T = a + bP \quad \text{(식 2.1)}$$

여기에서, 온도척도는 온도계 물질과 무관하다.

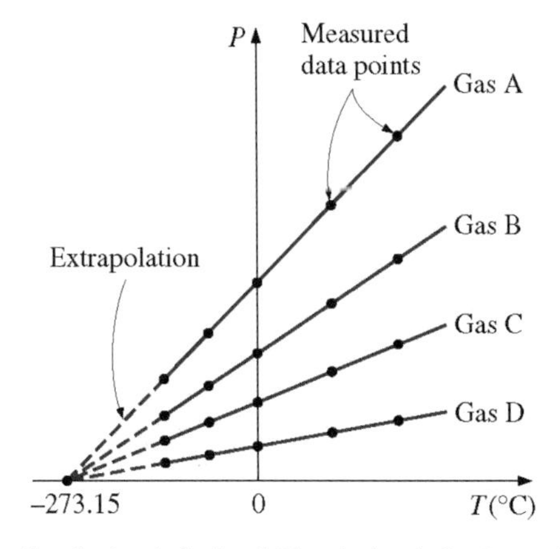

〔그림 2.1〕 네 개의 기체에 대한 정적 기체 온도계의 P-T 선도

3) 섭씨 ℃(Celsius)와 화씨 °F(Fahrenheit)

100 : 180 = ℃: °F-32

따라서 ℃ = $\frac{5}{9}$ (°F-32) ……………………………………………………………(식 2.2)

여기서. 화씨온도인 Fahrenheit(°F)는 사람의 체온을 98.6 °F로 설정한 BGS(British Gravitation System)에 의한 단위계이다.

4) 절대온도 척도(absolute scale of temperature)

절대 기체온도는 기체온도계를 사용할 수 있는 온도 범위 내에서는 열역학적 온도와 동일하다. 따라서, 열역학적 온도눈금은 온도와 무관하게 항상 저압의 기체처럼 거동하는 "이상적" 또는 "상상의" 기체를 활용하는 절대 기체 온도 눈금으로 고려될 수 있다. 이러한 기체가 존재한다면, 절대압력 0에서 섭씨 눈금으로 -273.15 ℃에 해당하는 0 K를 나타낼 수 있다.

· Kevin 척도, K
  K = ℃ + 273.15

1 K는 물의 삼중점 온도의 1/273.16으로 정의한다.

· Rankine 척도, R
  R =°F + 459.67

2.1.2 열전달

1) 열전달(heat transfer)이란?

온도가 서로 다른 물체 간에는 온도차에 의해 온도구배가 발생한다. 이에 따라 열(열에너지)의 유동이 발생하며 이로부터 경계에서 일어나는 에너지의 이동이 열전달이다. 즉, 하나 또는 두 물질 간의 온도차가 존재 시 열전달이 발생한다.

열전달에서 일반적으로 열을 전달하는 방식은 크게 전도, 대류, 복사로 대별된다.

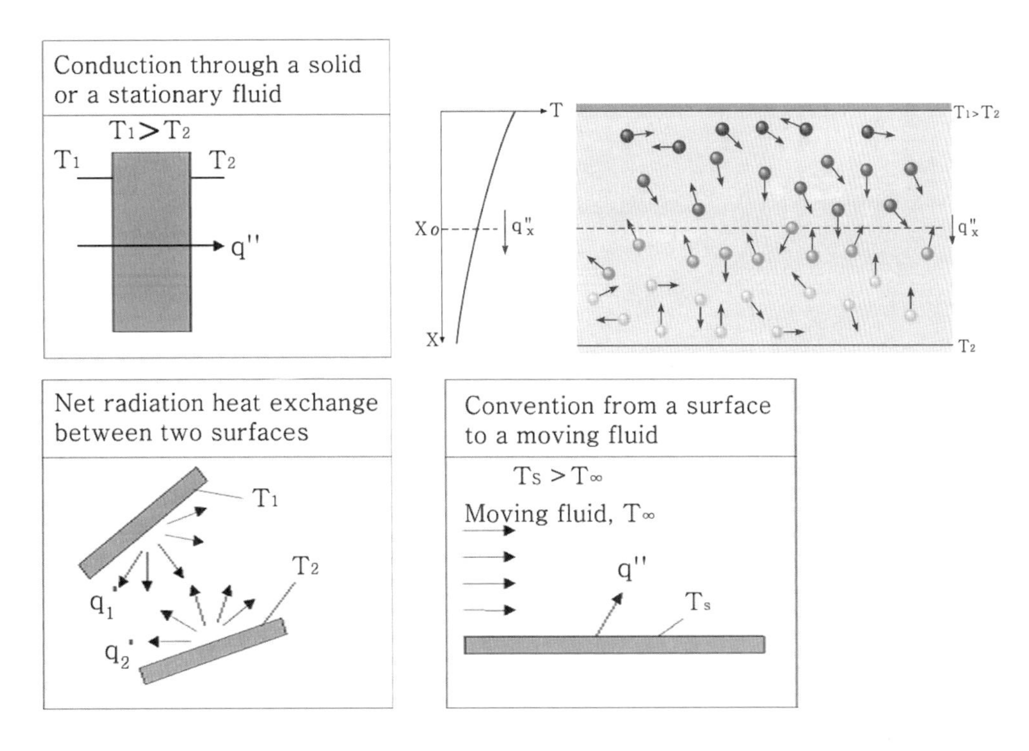

〔그림 2.2〕 전도, 대류 및 복사에 대한 기초 선도

2) 전도 열전달

전도는 열전달의 기본이 되는 것으로서 주로 고체의 매질 내의 원자(atomic) 또는 분자의 활동(molecular activity) 수준에서 생기는 에너지 이동이다. 매질 내에 서로 다른 온도에 따라 발생하는 온도차 즉 온도구배가 존재할 때, 그 매질을 통하여 발생하는 열전달이다.

전도에 의한 열전달은 분자활동에 의한 에너지 확산과 열전도간의 관계를 나타내는 열적 현상으로, 서로 다른 온도로 유지되는 두 표면 간에 있는 (열)에너지 차로 인하여 분자간의 운동이 고분자에너지에서 저분자에너지로 에너지준위에 따른 전자그룹 이동에 따라 에너지 전달이 발생하여 상기 그림에서 보여지는 것처럼 x 방향으로 불규칙한 분자운동에 의해 에너지가 확산(diffusion)된다.

전도 열전달은 단위 시간당 전달된 에너지의 양을 산정하는 퓨리어 법칙(Fourier's law)으로 정의된다. 즉, 온도분포 T(x)를 갖는 1차원 평면벽에 대한 전도율 방정식인 Fourier의 법칙은, $q_x'' = -k\frac{dT}{dx}$, $q''(W/m^2)$은 열속(heat flux)의 감소가 열전달 매질의 온도변화(ΔT)에 비례하고 전달 거리의 변화(ΔX)에 반비례함을 의미한다. 따라서, 전도에 의한

1차원 열전달은 식(2.3)과 같다.

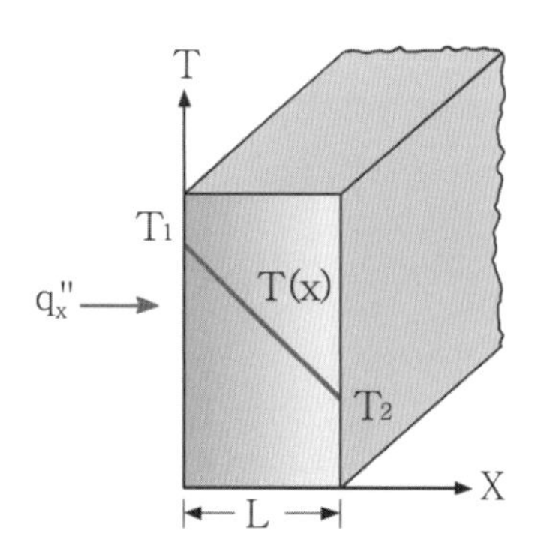

〔그림 2.3〕 평면벽에서의 열전도

$$\frac{dT}{dx} = \frac{T_2 - T_1}{L - 0} \quad \therefore \quad q_x'' = k\frac{T_1 - T_2}{L} = k\frac{\Delta T}{L} \quad \text{........................(식 2.3)}$$

여기서, q_x''는 x축 방향의 평면벽 단위 면적 A 당 열전달이다. 그리고 열 $q_x = q_x'' A$이고 단위는 W(Watt) 이고 k는 열전도율(thermal conductivity) 이며 단위는 W/m · K이다.

[예제 1.1] 산업용 furnace의 벽 열전도율이 1.7 W/m · K, 두께가 0.15 m일 때, 정상상태 동작 중 내벽과 안벽간 온도가 각각 1400K, 1150K이다. 폭이 '1.2 m이고 높이가 0.5 m인 벽을 통한 열손실률은?

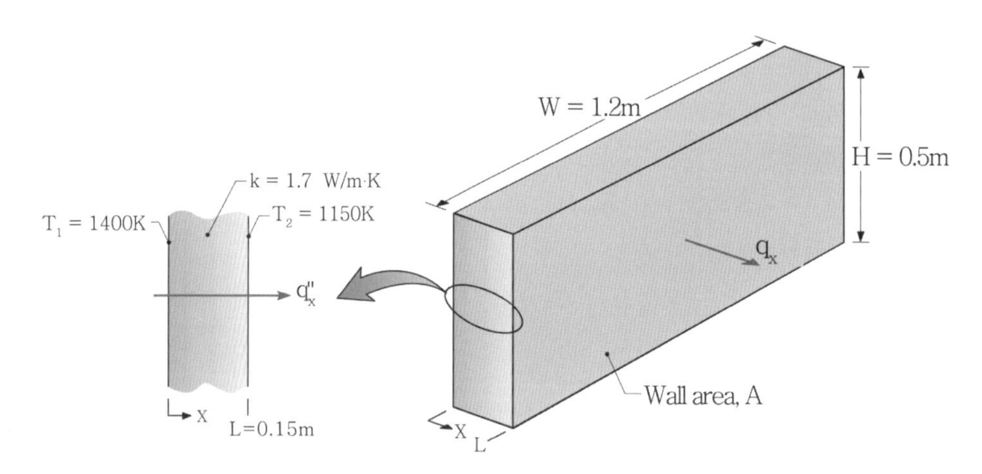

3) 대류 열전달

대류 열전달은 고체-유체간이나 유체-유체간 즉 표면과 다른 온도를 가지고 운동하는 고체-유체나 유체 사이에서 발생하는 열전달로 고체나 유체의 온도변화에 따른 밀도차로부터 발생하는 열전달이다. 따라서, 불규칙한 분자운동(확산)에 의해 에너지가 전달되어 생기는 열전달을 대류라 정의한다.

그리고 유체의 집단(bulk)이나 거시적인 운동(macroscopic motion)에 의해 집단적으로 에너지가 전달되어 생기는 열전달은 유동대류(advection)라 일컫는다. 대류열전달에서의 경계층 가열된 표면 위를 유체유동에서, 표면속도가 0 ~ u_{∞}를 포함하는 유체영역인 속도 경계층(velocity boundary layer)과 온도가 $T_s \sim T_{\infty}$까지 변화하는 유체영역인 온도경계층(thermal boundary layer), 그리고, 만약 $T_s > T_{\infty}$이면 표면과 외부 유동간 대류열전달이 발생한다.

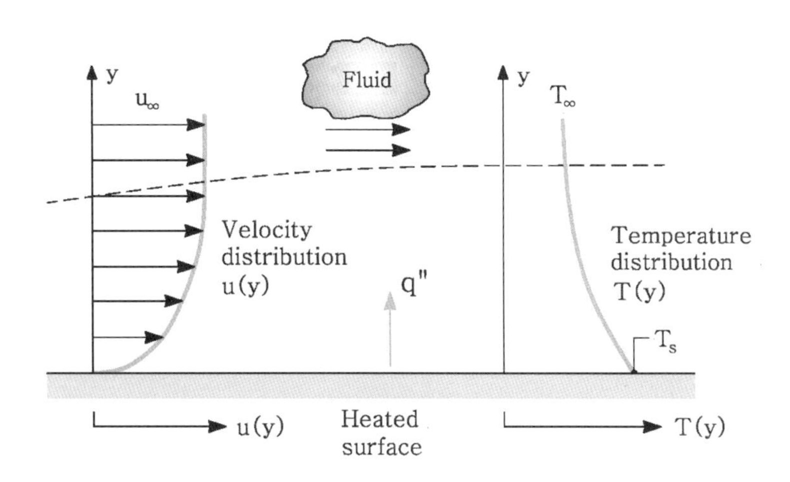

〔그림 2.4〕 대류 열전달에 의한 유체 속도 및 온도분포

내류 녈전달의 경우, 열속의 증가는 (표면온도 − 액체온도)에 비례하며 다음의 식(2.4)로 주어진다. 즉, 열이 표면으로부터 전달될 때

$$q'' = h(T_s - T_{\infty}) \quad \text{......(식 2.4)}$$

여기서, h는 대류열전달계수(convection heat transfer coefficient)이며 단위는 $W/m^2 \cdot K$이고, 식(2.4)를 뉴우톤 냉각법칙(Newton's law of cooling)이라고 한다.

- 대표적인 h 값
  - ▷ 강제대류
    - . 기체: 25 ~ 250
    - . 액체: 50 ~ 20,000
  - ▷ 자연대류
    - . 기체: 2 ~ 25
    - . 액체: 50 ~ 1,000
  - ▷ 비등
    - . 2,500 ~ 100,000

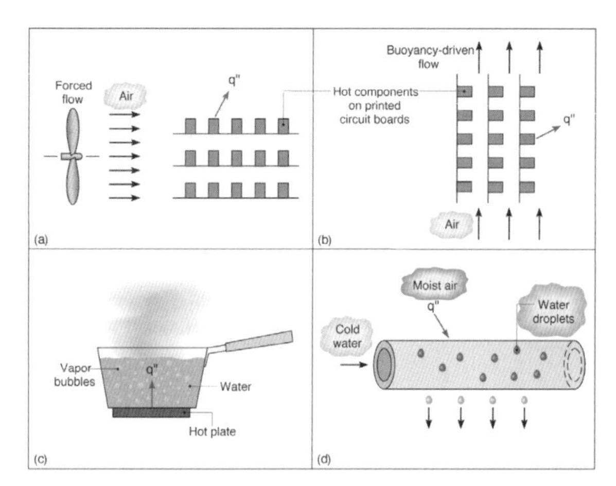

[대류 열전달 종류]

4) 복사 열전달

열전달은 고체 간에는 열전도, 유체와 고체 또는 유체와 유체 간에는 온도차가 100 ℃ 미만 일 때 대류, 그 이상일 때 복사열전달이 발생한다. 복사는 열전달이 발생하는데 매체가 필요치 않다. 복사에 의한 에너지 전달이 가장 빠르고(빛의 속도) 진공 속에서도 감소되지 않는다.

복사의 이론적 기초는 1864년 물리학자인 James Clerk Maxwell에 의하여 정립되었고 그는 전하를 가속하거나 전류를 바꾸면 전기와 자기장이 생긴다고 가정하였다. 빨리 움직이는 장을 전자기파 또는 전자기복사(electromagnetic radiation)라고 부르며 이는 원자나 분자 내에서 전자의 분포가 변화되었을 때 물체가 방사하는 에너지이다. 1887년 Heinrich Hertz는 실험을 통해 이러한 파장이 존재함을 입증하였다.

전자기파는 다른 파장처럼 에너지를 전하고 모든 전자파는 빛의 속도로 전파된다. 전자기파는 그의 주파수 ν와 파장 λ에 의하여 특성 지워진다. 하나의 매체 속에서 이들 두 성질은 다음과 같은 관계가 있다.

$$\lambda = \frac{c}{v}$$

여기서 c는 그 매체 내에서 빛의 속도이다. 진공에서 $c = c_0 = 2.998 \times 10^8\ m/s$ 이다.

매체 내에서 빛의 속도는 진공에서의 속도와 $c = c_0/n$과 관계되는데 여기서 n은 그 매체의 굴절률이다. 파장의 일반적인 단위는 마이크로미터(μm)이고 여기서 $1\mu m = 10^{-6} m$이다. 파장이나 전파속도와 달리 전자파의 주파수는 출처(source)에만 관계되며 파가 통과한 매체와는 무관하다.

복사에서는, 1900년 Max Planck가 양자원리(quantum theory)에서 제안한 것과 같이, 전자기복사를 광자(photon)나 양자(quanta)라고 하는 불연속적인 에너지 묶음이 전파되는 것이라고 생각하면 도움이 된다. 이에 의하면 주파수 ν의 각 광자는 다음과 같은 에너지를 가지고 있다고 생각된다.

$$e = h\nu = \frac{hc}{\lambda}$$

여기서 $h = 6.625 \times 10^{-34} J \cdot s$이고 Plank 상수라 한다. h와 c가 상수인 상기 식으로부터 광자 에너지는 파장에 반비례한다. 따라서 파장이 짧은 복사는 많은 광자 에너지를 포함한다. 그러므로, 파괴력이 큰 감마선이나 X선과 같은 파장이 짧은 복사를 피하려고 하는 것은 당연하다.

복사열전달은 유한한 온도의 모든 표면이 전자기파 방식으로 에너지를 방출하여 생기는 열전달 현상으로, 유한한 온도의 물질에 의하여 방사(emission)되는 에너지로 진공에서 열손실이 없으므로 가장 잘 이루어진다.

이상적인 표면으로부터의 열복사가 일어날 경우, 방출 가능한 최대 속은 그 표면온도의 네제곱에 비례한다. 이를 스테판볼츠만(Stefan-Boltzmann) 법칙이라 하고, 식(2.5)로 나타낸다.

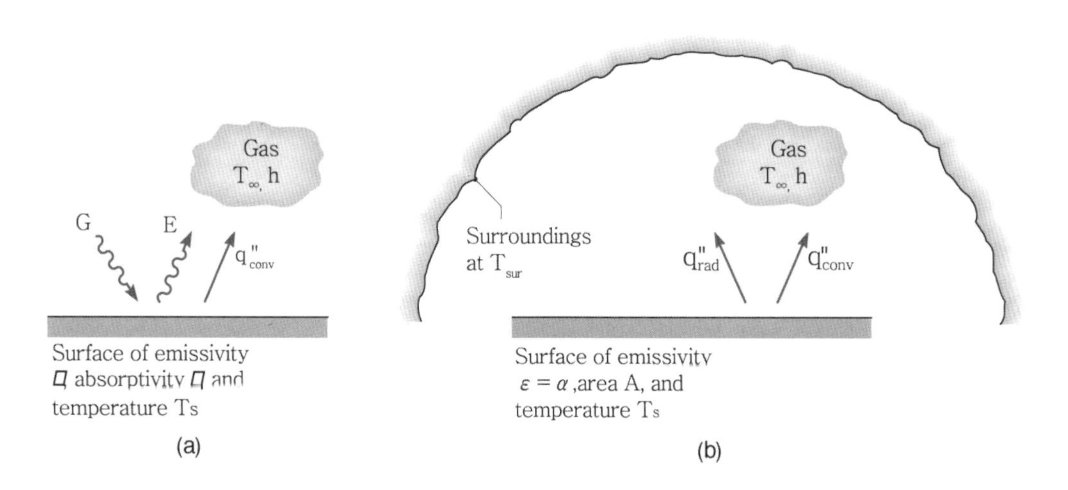

〔그림 2.5〕 대기 및 반구에서의 복사열전달 개략도

$$E = \varepsilon \sigma T_s^4 \quad \cdots\cdots (식\ 2.5)$$

- ε : 방사율(emissivity), 복사 물성치, $0 \le \varepsilon \le 1$
- T_s : 표면의 절대온도, K

여기서, σ는 스테판볼츠만(Stefan-Boltzmann) 상수이며 5.67×10^{-8}이고 단위는 $W/m^2\ K^4$, T_s는 표면의 절대온도로 단위는 K 또는 R이다.

2.2 복사 열유동

2.2.1 빛의 특징

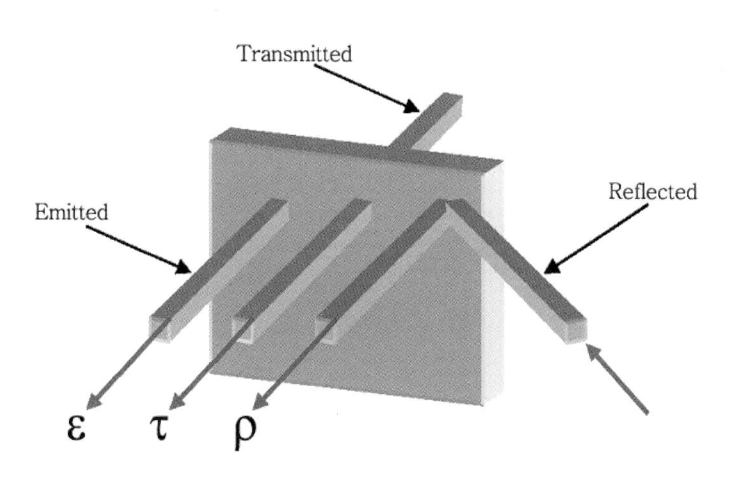

〔그림 2.6〕 빛의 성질

복사열이 완전히 흡수되는 흑체(black body)의 복사강도를 기술한 플랑크(Planck)법칙에 의해 물체로부터 방출되는 전체에너지는 스테판 볼츠만 법칙으로 식(2.5)로부터 흡수율은 1이므로($\varepsilon = 1$), 흑체에 대해 식(2.6)과 같다.

$$E_b = \sigma T^4 \,(W/m^2) \qquad \text{(식 2.6)}$$

상기 식에서, 적외선에너지는 전자기적 스펙트럼의 일부로서 가시광선과 유사하게 거동하며 광속으로 우주공간을 달리고 반사, 굴절, 흡수, 방사될 수 있다.

1) 빛의 흡수(吸收)

빛의 흡수는 다음 법칙에 따른다. 즉, 입사광의 강도를 I_0, 투과광의 강도를 I 라 하면, $I = I_0 e^{-\alpha x}$ 이다. 여기서, x는 통과한 두께, α는 감약계수이다. 그러나 N_α는 같은 물질이라도 빛의 파장에 따라 다른 색이 생기게 된다.

2) 빛의 굴절

빛의 굴절률은 일반적으로 파장의 함수로서 무한대의 파장에 대한 굴절률 n_{∞}는 그 물질의 유전율 ε의 제곱근과 같다. 즉, $n_{\infty}^2 = \varepsilon$이다.

3) 빛의 반사 및 투과

[그림 2.6]의 물체에 입사한 복사에너지는 빛의 성질에 의해 물체로부터 3가지 형태로 나타난다. 조사된 복사열은 일부 흡수가 될 수 있고, 일부는 물체에 의해 반사되고, 일부는 물체를 투과할 수 도 있다. 이로부터 다음과 같은 식이 유도된다.

$$W = \alpha W + \rho W + \tau W \quad \text{(식 2.7)}$$

$$\text{즉, } 1 = \alpha + \rho + \tau \quad \text{(식 2.8)}$$

여기서, α, ρ, τ 는 각각 흡수율(absorptivity), 반사율(reflectivity), 투과율(transmissivity)이며 식(2.8)는 복사에 대한 키르히호프 법칙이다.

4) 방사율

상기 식(2.7)의 물체에 입사한 복사 에너지로부터, 흑체로부터 방사된 에너지는 W_{bb}이고 이상적인 흑체 방사체라는 것은 실제적으로 존재하지 않으며, 실제 방사된 에너지가 W_{obj}이면, 물체의 방사율 ε는 다음과 같다.

$$\varepsilon = \frac{W_{obj}}{W_{bb}}, \text{ 여기서 } 0 \le \varepsilon \le 1 \quad \text{(식 2.9)}$$

식(2.9)로부터, 적외선 열화상에 적용되는 방사율은 적외선 카메라에 의해 사용되어지는 적외선 파장간격에서 발생하는 ε_{λ}의 평균값으로 서로 다른 물체의 온도에 따라 적절한 방사율의 예측이 매우 중요하다.

2.2.2 흑체 방사력

파장 **흑체방사력**(spectral blackbody emissive power)은 절대온도 T에서 단위시간당, 단위면적당 그리고 파장 λ에서 흑체가 방사하는 복사이다. 파장 흑체방사도 $E_{b\lambda}$는 1901년 Max Planck에 의하여 양자이론과 관련하여 개발되었다. 이것은 **Planck의 분배법칙**으로 알려져 있고 다음과 같다.

$$E_{b\lambda}(T) = \frac{C_1}{\lambda^5[\exp(C_2/\lambda T)-1]}\ (W/m^2 \cdot \mu m) \quad \cdots\cdots\cdots\cdots\cdots\cdots \text{(식 2.10)}$$

여기서

$$C_1 = 2\pi h c_0^2 = 3.742 \times 10^8\ W \cdot \mu m^4/m^2$$
$$C_2 = hc_0/K = 1.439 \times 10^4 \mu m \times K \text{이다.}$$

또한 T는 표면의 절대온도이다. λ는 방사된 복사의 파장이며 K는 $1.3805 \times 10^{-23} J/k$로서 Boltzmann의 상수이다. 주어진 온도에서 파장에 따른 흑체방사도의 변화를 [그림 2.7]에 나타내었다. 이 그림으로부터 다음과 같은 것을 알 수 있다.

1. 방사된 복사는 파장의 연속함수이다. 주어진 온도에서 파장이 증가하면 방사도 증가하며 최고점에 도달한 이후에는 파장이 증가하면 감소한다.
2. 주어진 파장에서 방사된 에너지 량은 온도가 증가함에 따라 증가한다.
3. 온도가 증가함으로 곡선은 가파르게 되고 왼쪽의 짧은 파장 구역으로 이동한다.

결과적으로 고온에서는 복사의 상당부분이 짧은 파장에서 방사된다.

4. 5,762 K(대략 5,800 K)인 태양에 의한 복사는 흑체로 취급되며 스펙트럼의 가시범위에서 최고에 도달한다. 온도가 증가함에 따라 [그림 2.7]의 최고점은 짧은 파장 쪽으로 이동한다.

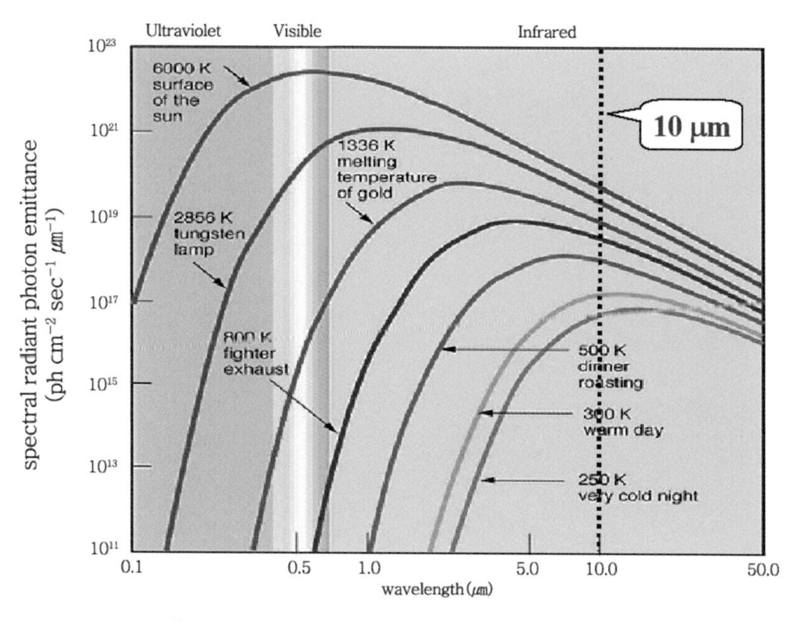

〔그림 2.7〕 Planck's spectral radiation emittance

주어진 온도에 최고점이 발생하는 파장은 **wien의 변위법칙**으로 다음과 같다.

$$(\lambda T)_{\max power} = 2897.8\mu m \cdot K \quad \text{......................... (식 2.11)}$$

이 관계는 본래 고전 열역학을 이용하여 1894년 Willy Wien에 의하여 개발되었지만, 식(2.10)에서 상수로 고정하고 이를 λ에 대해 미분한 후 결과를 0으로 놓아서 구할 수 있다. 복사방사 곡선에서 최고점들의 궤적인 Wien의 변위법칙을 [그림 2.7]에 나타내었다.

사람 눈에 직접적으로 보이지 않지만 적외선 복사는 적외선 카메라로 감지할 수 있으며 밤에도 물체를 볼 수 있도록 마이크로프로세서에 의해 정보를 전달하여 준다. 전 파장에 대한 파장 흑체방사도 $E_{b\lambda}$를 적분하여 총 흑체방사도 E_b를 구하는 것을 식으로 보면,

$$E_b(T) = \int_0^{\infty} E_{b\lambda}(T) d\lambda = \sigma T^4 \ (W/m^2) \quad \text{..................... (식 2.12)}$$

따라서 식(2.11)의 **Planck의 분배법칙**을 전 파장에 대하여 적분하여 Stefan Boltzmann**의 법칙** 식(2.12)을 구할 수 있다. Stefan-Boltzmann **법칙** $E_b(T) = \sigma T^4$은 $\lambda = 0$으로부터 $\lambda = \infty$까지 모든 파장에서 흑체에 의하여 방사된 총 복사를 의미한다. $\lambda = 0$ 으로부터 λ까지의 파장 영역에 대하여 단위면적당 흑체에 의하여 방사된 복사 에너지는 다음과 같이 결정된다.

$$E_{b,0-\lambda}(T) = \int_0^{\lambda} E_{b\lambda}(T)\, d\lambda \ (W/m^2) \quad \text{..................... (식 2.13)}$$

2.3 적외선 복사에너지

2.3.1 복사에너지 매개변수(parameter)

데워진 고체의 경우 온도가 매우 높을 때 기체간에 열전달현상으로 앞서 기술한 복사가 일어난다. 이런 열복사는 파장이 0.1㎛ 와 100㎛사이의 전자기파의 경우에만 열복사가 일어나며 복사에너지에 영향을 매개변수(parameter)들은 다음과 같다.

(1) 고체각 (Solid angle)

고체각은 평면각의 3차원의 것에 대응한다. 평면적 2차원 구각은 원 s의 원의 반경에 대한 그 원호의 비로 정의된다. 고체 3차원 구각은 구 반경의 제곱에 대한 그 구의 한 부분의 면적의 비로 정의된다. [그림 2.8]은 이런 개념을 나타낸다.

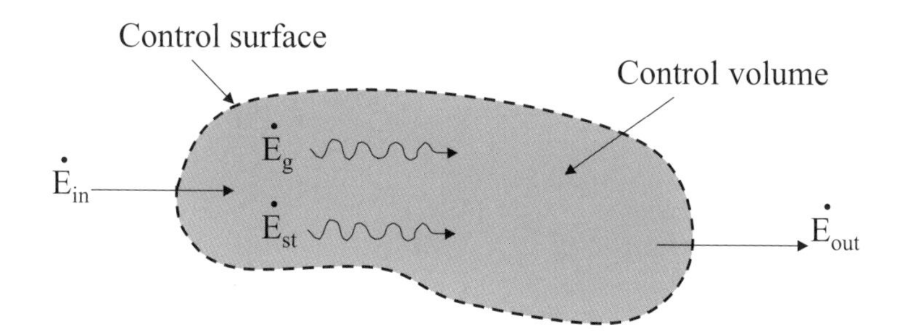

[그림 2.8] 어느 한 순간에서의 제어부피에 대한 에너지 보존[5]

반구의 경우 [그림 2.9]과 같이, 고체각은 구좌표계에서 dA_1상의 어떤 점에 대한 dA_n으로 만들어진다. 이때 고체각은 다음의 식(2.14)로 주어진다.

$$d\omega \equiv \frac{dA_n}{r^2} \equiv \sin\theta d\theta d\phi \quad \cdots\cdots(식\ 2.14)$$

여기서 cosθ항은 [그림 2.10]와 같이 dA_1과 각도 θ를 이루고 복사세기를 측정하기 때문이다.

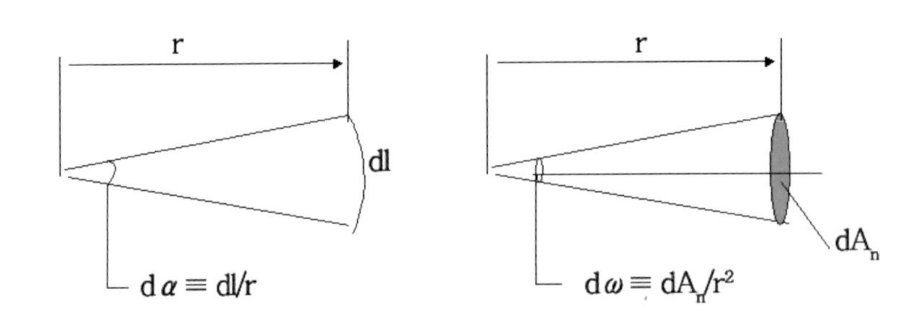

[그림 2.9] 평면각(왼쪽) 과 고체각(오른쪽)의 정의[3]

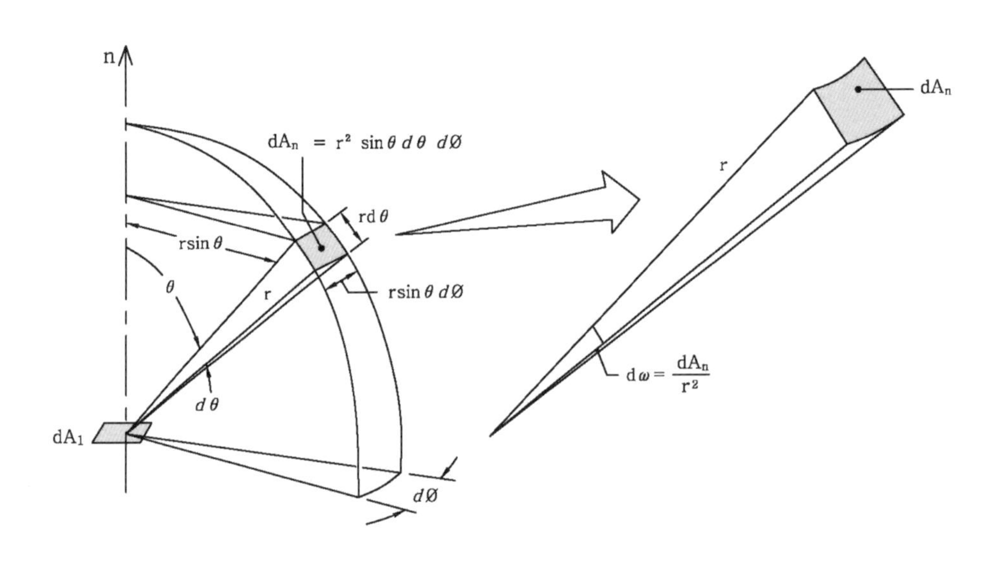

[그림 2.10] dA_n과 dA_1에 대한 고체각[5]

(2) 열복사의 세기

방향 (θ,ϕ)에서의 열복사의 세기(radiation intensity) $I_{\lambda e}(\lambda,\theta,\phi)$는 파장이 λ인 복사 에너지가 방향 (θ,ϕ)에 수직인 단위 면적의 방사 표면당, 이 방향에 대한 단위 고체각에 대한, 그리고 λ에 대한 단위파장 구간 $d\lambda$에 대한 방사율로 정의되어 식(2.15)와 같다. 즉,

$$I_{\lambda,e}(\lambda,\theta,\phi) \equiv \frac{dq}{dA_1 \cos\theta \cdot d\omega \cdot d\lambda} \quad \cdots\cdots(식\ 2.15)$$

파장이 λ인 복사가 dA_1을 떠나 dA_n을 통과하는 율 dq_λ는

$$dq_\lambda \equiv \frac{dq}{d\lambda} = I_{\lambda,e}(\lambda,\theta,\phi)dA_1\cos\theta d\omega = I_{\lambda,e}(\lambda,\theta,\phi)dA_1\cos\theta\sin\theta d\theta d\varphi \quad \text{..(식 2.16)}$$

와 같이 식(2.16)으로 주어진다. 또 단위 면적의 방사표면에 대한 dq_λ는 dq_λ''로 정의되며 다음의 식(2.17)로 주어진다.

$$dq''_\lambda \equiv \frac{dq}{d\lambda dA_1} = I_{\lambda,e}(\lambda,\theta,\phi)\cos\theta\sin\theta d\theta d\varphi \quad \text{.........................(식 2.17)}$$

2.3.2 대상표면에서의 복사교환

열전달을 생각할 때 우리는 제어부피(control volume)와 시간기저(time basis)를 정의하여야 한다. [그림2.8]에서와 같이, 제어부피(control volume)는 제어 표면(control surface)으로 한정된 공간의 영역으로서 이를 통해 에너지와 물질이 통과한다. 시간기저는 '어느 한 순간(at an instance)' 또는 '어떤 기간 동안(Over a time interval)'을 사용한다. '어느 한 순간' 에서의 에너지 보존의 법칙은 다음과 같이 정의된다.

열 · 기계적 에너지가 어떤 제어부피로 들어가는 율(rate)에 그 제어부피 안에서 생성된 열에너지율을 더하여 그 제어부피를 떠나는 열 · 기계적 에너지 율을 뺀 값은 그 제어 부피 내에 저장된 에너지 증가와 같으며 식(2.18)과 같다. 즉,

$$\dot{E}_{in} + \dot{E}_g - \dot{E}_{out} = \frac{dE_{st}}{dt} \equiv \dot{E}_{st} \quad \text{...................................(식 2.18)}$$

또 '어떤 기간 동안' 의 에너지 보존의 법칙은 다음과 같이 정의된다. 어떤 제어부피로 들어가는 열 · 기계적 에너지의 양에 그 제어부피 속에서 생성된 열에너지의 양을 더하여 그 제어부피를 떠나는 열 · 기계적 에너지의 양을 뺀 값은 그 제어부피 내에 저장된 에너지양의 증가와 같으며 식(2.19)으로 표현할 수 있다. 즉,

$$\dot{E}_{in} + \dot{E}_g - \dot{E}_{out} = \Delta E_{st} \quad \text{..................................(식 2.19)}$$

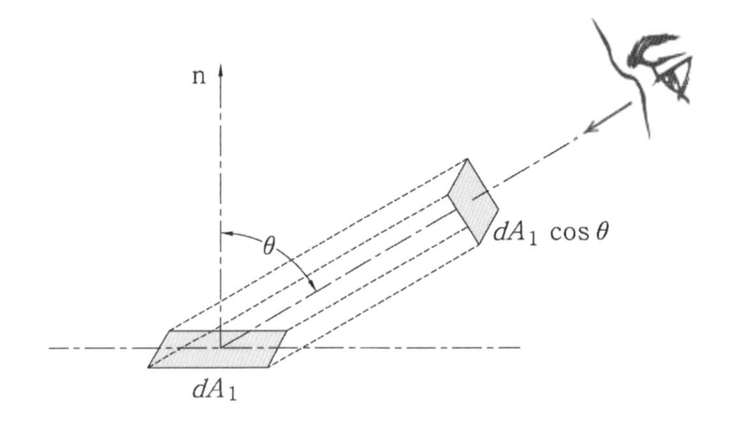

[그림 2.11] 복사방향에 수직인 방향에 대한 dA_1의 투영[5].

(1) 방사율(emissive)의 관계

반구상의 스펙트럼 방사력(spectral, hemispherical emissive power) E_λ는 다음의 식 (2.20)로 주어진다.

$$E_\lambda = \int_0^{2\pi}\int_0^{\pi/2} dq''_\lambda = \int_0^{2\pi}\int_0^{\pi/2} I_{\lambda,e}(\lambda,\theta,\phi)\cos\theta\sin\theta d\theta d\phi \quad \cdots\cdots(식\ 2.20)$$

전 방사력(total emissivie power, or spectral emissive power), E(W/m^2)은 모든 가능한 방향으로, 그리고 모든 가능한 파장에서 단위 면적 당 방사되는 복사율이다. 따라서 다음의 식(2.21)로 주어진다.

$$E = \int_0^\infty E_\lambda(\lambda)d\lambda = \int_0^\infty\int_0^{2\pi}\int_0^{\pi/2} I_{\lambda,e}(\lambda,\theta,\phi)\cos\theta\sin\theta d\theta d\phi d\lambda \quad \cdots\cdots(식\ 2.21)$$

$I_{\lambda i}(\lambda,\theta,\phi)$를 파장이 λ인 복사가 어떤 표면에 방향 (θ,ϕ)로부터 이 방향과 수직으로 만나는 표면의 단위면적당, 이 방향에 대한 단위 고체각 당, 그리고 λ에 대한 단위 파장구간 d_λ당 입사율로 정의한다. 입사하는 복사의 세기는 모든 방향으로부터 입사하는 복사를 [그림 2.12]와 같이 포함한 irradiation과 관계지어진다.

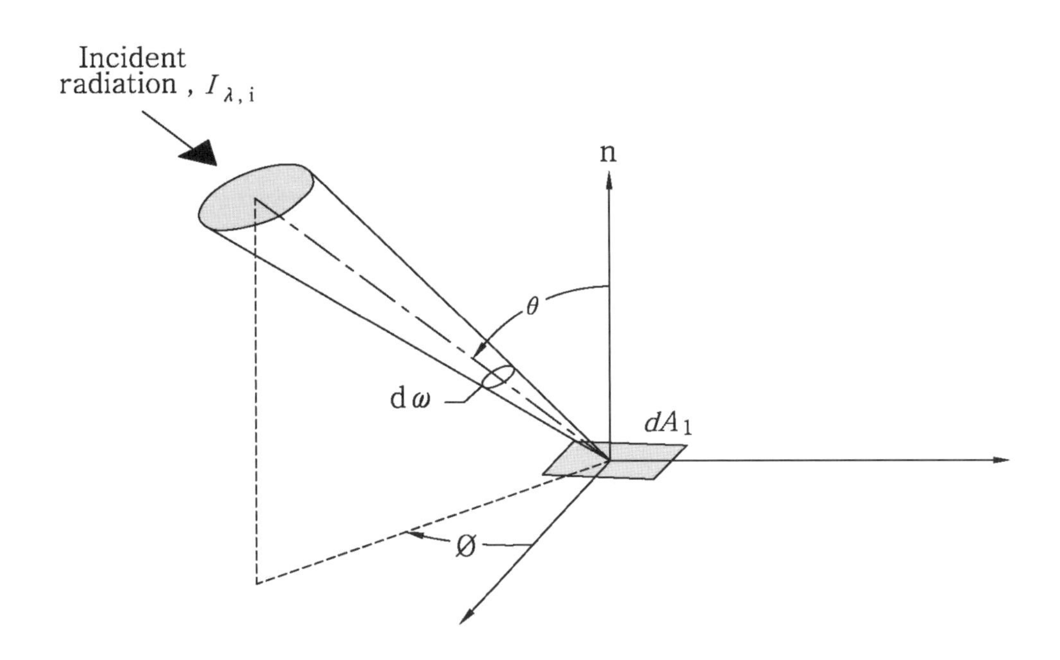

[그림 2.12] 입사 복사의 방향적 성질[5]

스펙트럼 irradiation G_λ(W/m^2 · ㎛)는 파장 λ의 복사가 단위 표면적에 대해, 그리고 λ에 대한 단위 파장구간 d_λ당 표면에 입사하는 율로 정의된다. 따라서 다음의 식(2.22)으로 주어진다.

$$G_\lambda(\lambda) = \int_0^{2\pi} \int_0^{\pi/2} I_{\lambda,i}(\lambda,\theta,\phi)\cos\theta\sin\theta d\theta d\phi \quad \text{(식 2.22)}$$

전 irradiation G(W/m^2)는 모든 방향으로부터, 그리고 모든 파장에서 단위 면적 당 입사하는 복사의 율을 나타내며,

$$G = \int_0^{\infty} G_\lambda(\lambda)d\lambda = \int_0^{\infty} \int_0^{2\pi} \int_0^{\pi/2} I_{\lambda,e}(\lambda,\theta,\phi)\cos\theta\sin\theta d\theta d\phi d\lambda \quad \text{(식 2.23)}$$

식(2.23)로 주어진다.

Radiosity는 [그림 2.13]과 같이 어떤 표면을 떠나는 모든 복사에너지를 의미한다. 스펙트럼 radiosity J_λ(W/m^2 · μm)는 다음의 식(2.24)로 주어지며 파장 λ에 대한 단위 파장 구간 d_λ당, 그리고 파장 λ의 복사가 단위 표면적을 떠나는 율을 나타낸다.

$$J_\lambda(\lambda) = \int_0^{2\pi}\int_0^{\pi/2} I_{\lambda,e+r}(\lambda,\theta,\phi)\cos\theta\sin\theta d\theta d\phi \quad \cdots\cdots\cdots\cdots\cdots\cdots (식\ 2.24)$$

이며, 모든 스펙트럼에 대한 전(total) radiosity J(W/m^2)는

$$J = \int_0^\infty J_\lambda(\lambda)d\lambda = \int_0^\infty\int_0^{2\pi}\int_0^{\pi/2} I_{\lambda,e+r}(\lambda,\theta,\phi)\cos\theta\sin\theta d\theta d\phi d\lambda \quad \cdots\cdot(식\ 2.25)$$

식(2.25)로 주어진다. 여기서 $I_{\lambda,e+r}(\lambda,\theta,\phi)$은 방사와 반사를 고려한 복사의 세기이다.

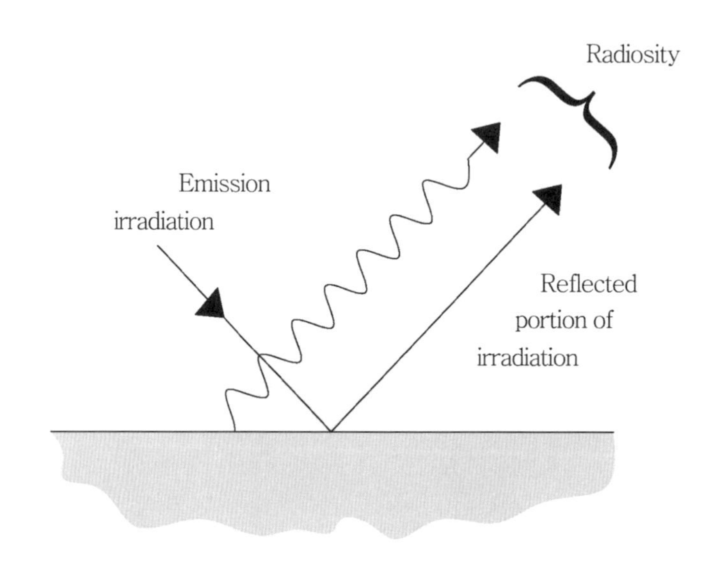

[그림 2.13] 표면의 radiosity[5]

2.3.3 흑체(blackbody)의 복사

흑체는 다음의 특성들을 갖는 이상적인 표면이다:

1. 흑체는 입사하는 복사를 그 파장과 방향에 관계없이 모두 흡수한다.
2. 특정한 온도와 파장에 대해, 어떠한 표면도 흑체보다 더 많이 방사할 수는 없다.
3. 비록 흑체가 방사하는 복사가 파장과 온도의 함수이기는 하지만, 이는 방향과는 무관하다.

즉, 흑체는 확산 방사체(diffuse emitter)이다. 흑체를 가장 많이 닮은 것은 [그림 2.14]과 같은 물체이다. [그림 2.14] (a)는 완전한 흡수상태를 보여주며, (b)는 어떤 좁은 입구로부터의 확산방사를 나타낸다. 그리고 (c)는 내면의 확산 irradiation이다.

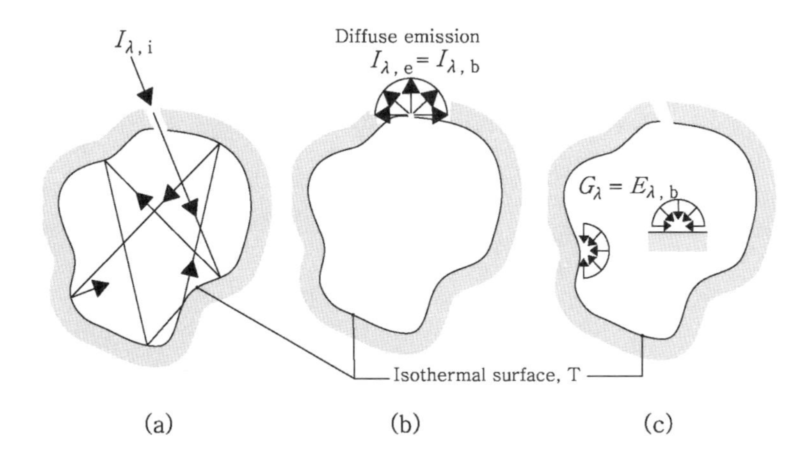

(a) 완전흡수. (b) 작은 입구로부터의 확산. (c) 내면의 확산 irradiation[5]

[그림 2.14] 등온의 흑체 동공

$$I_{\lambda,b}(\lambda, T) = \frac{2hc_0^2}{\lambda^5\left[\exp\left(\frac{hc_0}{\lambda kT}\right) - 1\right]} \quad \text{(식 2.26)}$$

여기서, h는 Planck 상수로, $h=6.6256 \times 10^{-34}$J · s 이며, k는 Boltzmann 상수로 $k=1.3805 \times 10^{-23}$ J/K 이다. 또, $c_o=2.998 \times 10^8$m/s 는 진공 속의 광속도이며, T는 흑체의 절대온도(K)이다.

흑체의 스펙트럼 방사력은 다음과 같은 식 (2.27)로 주어진다.

$$E_{\lambda,b}(\lambda,T)=\pi I_{\lambda,b}(\lambda,T)=\frac{C_1}{\lambda^5[\exp(\frac{C_2}{\lambda T})-1]} \quad \cdots\cdots\cdots\cdots\cdots(\text{식 } 2.27)$$

여기서 $C_1 = 2\pi hc_o^2 = 3.742 \times 10^8$ W · $\mu m^4/m^2$ 이며 $C_2=(hc_o/k)=1.439 \times 10^4$ μm · K이다. 흑체의 경우 최대 복사를 방사하는 파장을 λ_{max}라 할 때,

$$T\lambda_{max} = C_3 \quad \cdots\cdots\cdots\cdots\cdots\cdots\cdots\cdots\cdots\cdots(\text{식 } 2.28)$$

식 (2.28)과 같다. 여기서 C_3=2897.8 μm · K로 상수값이다. 이를 Wien의 변위법칙(Wien's displacement law)이라 한다.

앞의 식으로부터 전 방사력 E_b는 다음의 식(2.29)과 같이 주어지며

$$E_b=\int_0^{\infty}\frac{C_1}{\lambda^5[\exp(\frac{C_2}{\lambda T})-1]}d\lambda=\sigma T^4 \quad \cdots\cdots\cdots\cdots(\text{식 } 2.29)$$

이를 Stefan-Boltzmann 법칙이라 한다.

2.3.4 표면방사(Surface emission)

[그림 2.15]는 흑체와 실제 표면방사를 비교한 것이다. 왼쪽 그림은 스펙트럼 분포를 나타낸 것이고, 오른쪽 그림은 방향분포를 나타낸 것이다. 이때, 스펙트럼 및 방향 방사도 $\varepsilon_{\lambda,\theta}(\lambda,\theta,\phi,T)$는 다음 식(2.30)로 주어지는데

$$\varepsilon_{\lambda,\theta}(\lambda,\theta,\phi,T)\equiv\frac{I_{\lambda,e}(\lambda,\theta,\phi,T)}{I_{\lambda,b}(\lambda,T)} \quad \cdots\cdots\cdots\cdots\cdots\cdots(\text{식 } 2.30)$$

이는 흑체의 복사에너지 $I_{\lambda,b}(\lambda,\tau)$에 대한 복사세기 $I_{\lambda,\theta}(\lambda,\theta,\phi,T)$로 정의되기 때문이다. 방향 방사도 ε_θ와 구상의 스펙트럼 방사도 ε_λ는 각각

$$\varepsilon_{\theta}(\theta,\phi,T) \equiv \frac{I_e(\theta,\phi,T)}{I_b(T)} \quad \cdots\cdots\cdots\cdots\cdots\cdots(\text{식 } 2.31)$$

$$\varepsilon_{\lambda}(\lambda,T) \equiv \frac{E_{\lambda}(\lambda,T)}{E_{\lambda,b}(\lambda,T)} \quad \cdots\cdots\cdots\cdots\cdots\cdots(\text{식 } 2.32)$$

식(2.31), 식(2.32)으로 주어진다.

또, 반구상의 전 방사도는 다음의 식(2.33)으로 계산할 수 있다.

$$\varepsilon(T) \equiv \frac{E(T)}{E_b(T)} = \frac{\int_0^{\infty} \varepsilon_{\lambda}(\lambda,T) E_{\lambda,b}(\lambda,T) d\lambda}{E_b(T)} \quad \cdots\cdots\cdots\cdots(\text{식 } 2.33)$$

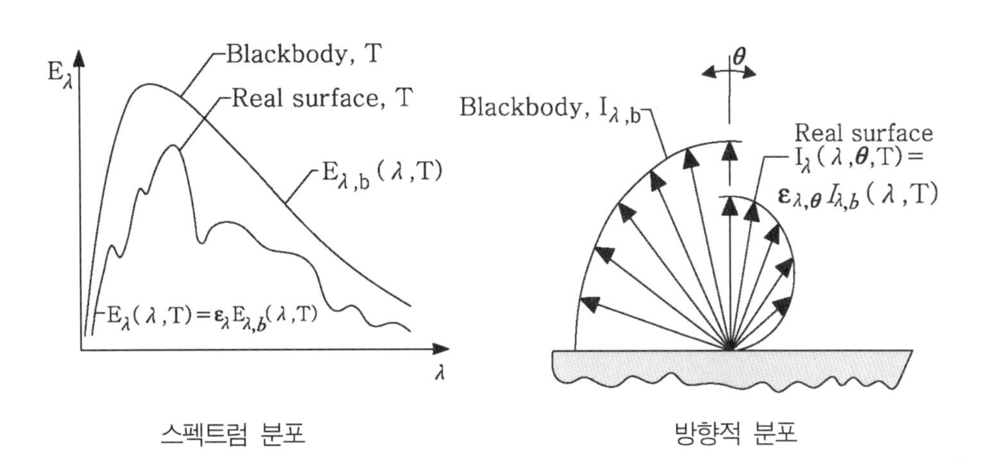

[그림 2.15] 흑체방사와 와 실제표면 방사와의 비교.[5]

2.3.5 표면 흡수, 반사 및 두과

주어진 [그림 2.15]과 같은 일반적인 상황을 고려한다. 이때 물체를 반투과성(semitransparent)의 매개체로 가정한다. 그러면 [그림 2.16]에 표시된 바와 같이 식(2.34)를 만족한다.

$$G_{\lambda} = G_{\lambda,ref} + G_{\lambda,abs} + G_{\lambda,tr} \quad \cdots\cdots\cdots\cdots\cdots(\text{식 } 2.34)$$

여기서 $G_{\lambda,ref}$는 반사되는 성분이며, $G_{\lambda,abs}$는 흡수되는 성분이다. 그리고, $G_{\lambda,tr}$는 투과되는 성분이다. 흡수도(absorptivity)는 표면에 의해 흡수되는 irradiation의 비율을 결정하는 특성이다. 표면의 스펙트럼 및 방향 흡수도 $\alpha_{\lambda,\theta}(\lambda,\theta,\phi)$는 θ와 ϕ의 방향으로 입사한 스펙트럼 세기중 그 표면에 의해 흡수된 비율로 정의되며 식(2.35)과 같다. 즉,

$$\alpha_{\lambda,\theta}(\lambda,\theta,\phi) \equiv \frac{I_{\lambda,i,abs}(\lambda,\theta,\phi)}{I_{\lambda,i}(\lambda,\theta,\phi)} \quad \text{(식 2.35)}$$

그리고 반구상의 스펙트럼 흡수도 $\alpha_{\lambda}(\lambda)$는

$$\alpha_{\lambda}(\lambda) \equiv \frac{G_{\lambda,abs}(\lambda)}{G_{\lambda}(\lambda)} \quad \text{(식 2.36)}$$

식(2.36)이다.

반구상의 전 흡수도 α는 식(2.37)로 주어진다.

$$\alpha \equiv \frac{G_{abs}}{G} = \frac{\int_0^{\infty} \alpha_{\lambda}(\lambda) G_{\lambda}(\lambda) d\lambda}{\int_0^{\infty} G_{\lambda}(\lambda) d\lambda} \quad \text{(식 2.37)}$$

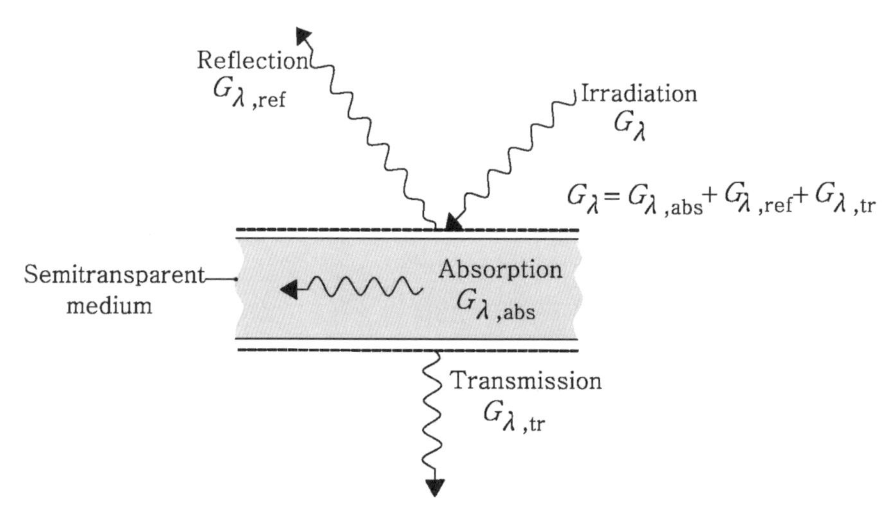

[그림 2.16] 반투명 매개체에 대한 흡수, 반사, 그리고 투과 과정들[5]

반사도(reflectivity)는 입사한 복사가 표면에 의해 반사되는 비율을 결정하며. 이는 어떤 표면의 스펙트럼 및 방향 반사도 $\rho_{\lambda,\theta}(\lambda,\theta,\phi)$는 θ와 ϕ의 방향으로 입사한 스펙트럼 세기 중 그 표면에 의해 반사되는 비율로 정의되며 식(2.38)로 나타낸다. 즉,

$$\rho_{\lambda,\theta}(\lambda,\theta,\phi) \equiv \frac{I_{\lambda,i,ret}(\lambda,\theta,\phi)}{I_{\lambda,i}(\lambda,\theta,\phi)} \quad \cdots\cdots(\text{식 } 2.38)$$

반구상의 스펙트럼 반사도 $\rho_\lambda(\lambda)$는 표면에 의해 반사된 스펙트럼 irradiation의 비율로 정의되므로 다음의 식(2.39)으로 주어진다.

$$\rho_\lambda(\lambda) \equiv \frac{G_{\lambda,i,ref}(\lambda)}{G_\lambda(\lambda)} \quad \cdots\cdots(\text{식 } 2.39)$$

반구상의 전 반사도 ρ (total, hemispherical reflectivity)는 식(2.40)

$$\rho \equiv \frac{G_{ref}}{G} = \frac{\int_0^\infty \rho_\lambda(\lambda) G_\lambda(\lambda) d\lambda}{\int_0^\infty G_\lambda(\lambda) d\lambda} \quad \cdots\cdots(\text{식 } 2.40)$$

으로 주어진다. 그리고 반사에는 [그림 2.17]과 같이 확산(diffuse)반사 와 거울반사(specular reflection)가 있다.
투과도는 다음의 식(2.41)로 주어진다.

$$\tau_\lambda(\lambda) \equiv \frac{G_{\lambda,tr}(\lambda)}{G_\lambda(\lambda)} \quad \cdots\cdots(\text{식 } 2.41)$$

전 투과도는 다음의 식(2.42)로 주어진다.

$$\tau \equiv \frac{G_{tr}}{G} = \frac{\int_0^\infty G_{\lambda,tr}(\lambda) d\lambda}{\int_0^\infty G_\lambda(\lambda) d\lambda} = \frac{\int_0^\infty \tau_\lambda(\lambda) G_\lambda(\lambda) d\lambda}{\int_0^\infty G_\lambda(\lambda) d\lambda} \quad \cdots\cdots(\text{식 } 2.42)$$

반투명 매개체의 경우, 앞의 정의들로부터

$$\rho_\lambda + a_\lambda + \tau_\lambda = 1 \quad \text{(식 2.43)}$$

식(2.43)를 얻을 수 있다. 이 식(2.43)를 전 스펙트럼에서 생각하면

$$\rho + a + \tau = 1 \quad \text{(식 2.44)}$$

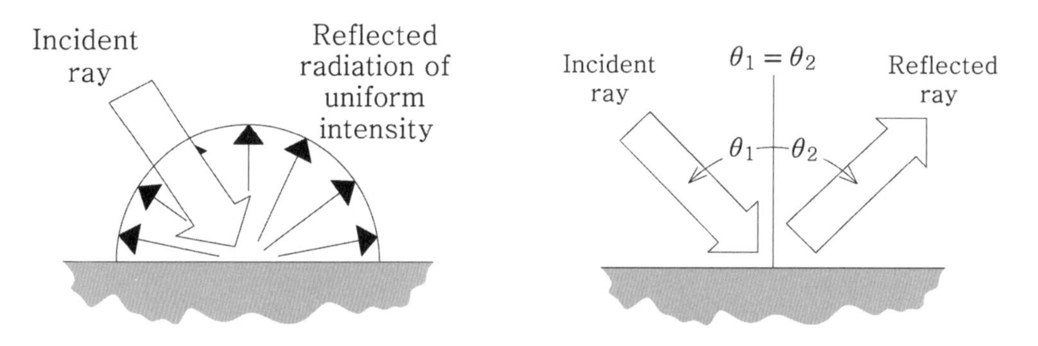

[그림 2.17] 확산반사와 거울반사(specular reflection)

식(2.44)를 얻는다. 물론 메개체가 불투명하면 투과가 일어나지 않으므로

$$\rho_\lambda + a_\lambda = 1 \quad \text{(식 2.45)}$$

$$\rho + a = 1 \quad \text{(식 2.46)}$$

식(2.45)과 식(2.46)이 된다.

2.3.6 Kirchhoff의 법칙

[그림 2.18]와 같이 등온 T_S인 표면으로 물체들을 들러싸는 것이 있을 경우, 이것은 흑체 공간처럼 동작한다. 또 안정상태에서 열균형이 일어남으로 다음의 식(2.47)이 만족된다.

$$G = E_b(T_s)$$
$$\alpha_1 G A_1 - E_1(T_s) A_1 = 0 \quad \text{(식 2.47)}$$
$$\frac{E_1(T_s)}{\alpha_1} = E_b(T_s)$$

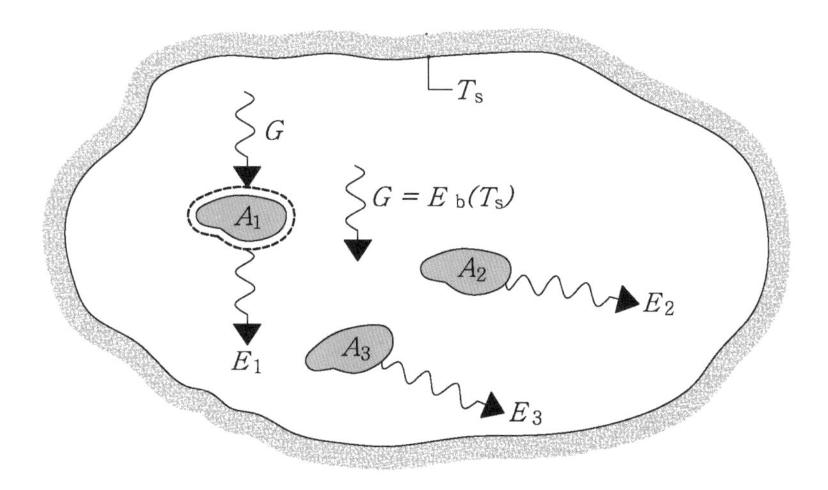

[그림 2.18] 등온으로 둘러싸인 공간 내에서의 복사교환[5]

또, 아래의 식(2.48)를 Kirchhoff의 법칙이라 한다.

$$\frac{E_1(T_s)}{\alpha_1} = \frac{E_2(T_s)}{\alpha_2} = \cdots = E_b(T_s)$$

$$\frac{\varepsilon_1}{\alpha_1} = \frac{\varepsilon_1}{\alpha_1} = \cdots = 1 \qquad \cdots\cdots\cdots(식\ 2.48)$$

위의 식들이 의미하는 것은 $\alpha \leq 1$, 그리고 $E(T_S) \leq E_b(T_S)$ 이다. 즉 어떠한 실제표면도 흑체 표면의 방사력을 능가할 수는 없음을 의미한다. 따라서 흑체가 이상적인 방사체라는 개념이 확인된다.

두 표면 사이에서의 복사교환을 계산할 때 $\varepsilon = \alpha$를 이 표면들에 적용할 수 있으면 그 계산은 매우 간략히 될 것이다. 하지만 이런 조건을 부여하려면 여러 조건들을 만족하여야 한다.

2.3.7 그레이 표면(Gray surface)

$\varepsilon = \alpha$라는 식이 그 표면과 같은 온도상의 흑체 방사로 기인하는 irradiation이라는 조건의 경우에 적용될 수 있는지 여부를 조사하는 것은 매우 중요하다. 다음의 식(2.49)을 만족하는 조건은

$$\varepsilon_\lambda = \frac{\int_0^{2\pi}\int_0^{\pi/2}\varepsilon_{\lambda,\theta}\cos\theta\sin\theta d\theta d\phi}{\int_0^{2\pi}\int_0^{\pi/2}\cos\theta\sin\theta d\theta d\phi} \overset{?}{=} \frac{\int_0^{2\pi}\int_0^{\pi/2}\alpha_{\lambda,\theta}I_{\lambda,i}\cos\theta\sin\theta d\theta d\phi}{\int_0^{2\pi}\int_0^{\pi/2}I_{\lambda,i}\cos\theta\sin\theta d\theta d\phi} = \alpha_\lambda \quad \cdots(식\ 2.49)$$

다음의 두 가지 중 하나로 볼 수 있다.

조건 ① irradiation이 확산이다. (즉, $I_{\lambda,i}$는 θ와 ϕ에 무관하다)

조건 ② 표면이 확산이다. ($\varepsilon_{\lambda,\theta}$와 $\alpha_{\lambda,\theta}$가 θ와 ϕ에 무관하다)

조건 1은 많은 공학적 계산에 근사하여 사용하여도 오차는 크지 않다. 조건 2는 많은 표면 특히 전기적으로 비전도 물질의 경우 적용가능하다. 확산복사 또는 확산표면이 존재한다고 가정하자. 이제 다음 식(2.50)이 만족될 수 있는 추가적인 조건들을 생각해 보자.

$$\varepsilon = \frac{\int_0^\infty \varepsilon_\lambda E_{\lambda,b}(\lambda,T)d\lambda}{E_b(T)} \overset{?}{=} \frac{\int_0^\infty \alpha_\lambda G_\lambda(\lambda)d\lambda}{G} = \alpha \quad \cdots\cdots(식\ 2.50)$$

$\varepsilon_\lambda = \alpha_\lambda$이므로 다음의 두 조건중 하나가 된다.

조건 ① irradiation이 표면온도 T에서 흑체로부터의 방사에 대응하는 경우. 이 때 $G_\lambda(\lambda) = E_{\lambda,b}(\lambda, T)$이고, $G = E_b(T)$이다.

조건 ② 그 표면이 그레이(gray)일 때 (ε_λ와 α_λ는 파장 λ에 무관).

조건 1은 Kirchhoff의 법칙을 유도할 때의 주된 가정이었다. 한 표면의 전체 흡수도는 irradiation의 스펙트럼 분포에 의존하므로 일괄적으로 $\varepsilon = \alpha$라 할 수는 없다. 예를 들어 [그림 2.19]의 경우처럼 특정한 표면이 한 스펙트럼 영역에서는 매우 흡수를 잘 하지만 다른 영역에서는 거의 흡수를 하지 않을 수 있다.

따라서 [그림 2.19] (b)의 가능한 두 irradiation 장 $G_{\lambda,1}(\lambda)$과 $G_{\lambda,2}(\lambda)$에 대해 α값은 현저히 다를 것이다. 반대로 ε값은 irradiation과는 무관하므로 α가 항상 ε과 같다고 말할 수 있는 근거는 없다.

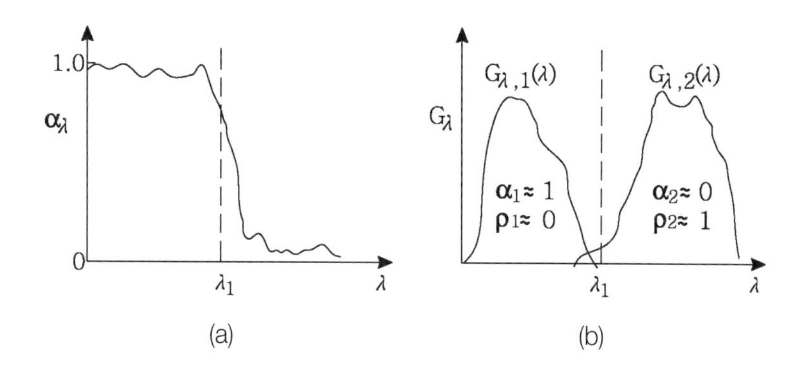

[그림 2.19] (a) 표면의 스펙트럼 흡수도와
(b) 표면에서의 스펙트럼 irradiation의 스펙트럼 분포들[3]

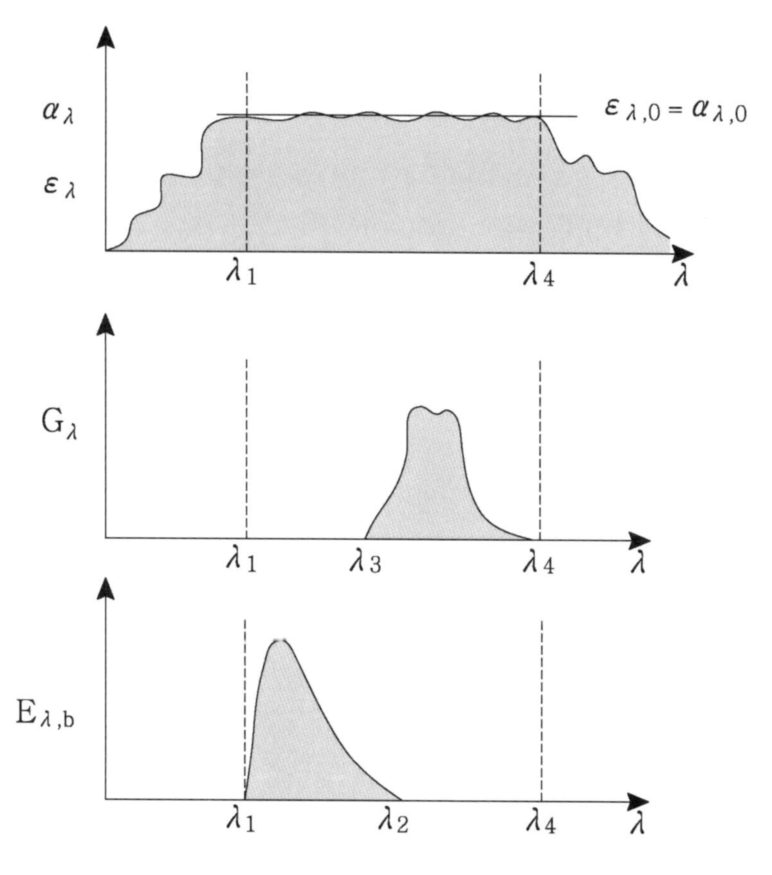

[그림 2.20] 그레이 표면으로 간주될 수 있는 조건들[3]

그레이 표면을 가정하기 위해 반드시 α_λ와 ε_λ가 전 스펙트럼 상에서 λ와 무관할 필요는 없다. 실질적으로 그레이 표면은 α_λ와 ε_λ가 irradiation과 표면방사의 스펙트럼 영역들 상에서 λ에 무관한 것으로 정의할 수 있다. 앞의 식(2.14~48)로부터 그레이 표면의 행동은 [그림 2.20]와 같은 조건으로 가정할 수 있다. 즉, irradiation과 표면방사는 그 표면의 스펙트럼 특성이 근사적으로 일정한 한 영역에 집중되어 있다.
따라서

$$\varepsilon = \frac{\varepsilon_{\lambda,o}\int_{\lambda 1}^{\lambda 2} E_{\lambda,b}(\lambda,T)d\lambda}{E_b(T)} = \varepsilon_{\lambda,o}$$

$$\alpha = \frac{\alpha_{\lambda,o}\int_{\lambda 3}^{\lambda 4} G_\lambda(\lambda)d\lambda}{G} = \alpha_{\lambda,o} \qquad \text{...............(식 2.51)}$$

식(2.54)이다.

2.3.8 주변복사(Environmental radiation)

[그림 2.21]은 지구 대기권 바깥에서의 태양 복사의 방향성을 나타낸다. 이 [그림 2.21]에서 $G_{s,o} = S_c \cdot f \cdot \cos\theta$이다. 지구 대기권에서의 태양복사는 [그림 2.22]과 같이 두 종류의 산란 현상을 겪는다. Rayleigh (즉, 분자) 산란은 개스 분사들에 의한 것으로 모든 반향에 거의 균일한 복사를 산란시킨다. 대기중의 먼지와 공기입자에 기인한 Mie산란은 입사광선의 방향과 비슷한 방향에 집중된다. 그리고 지구표면에서의 태양복사의 방향성 분포는 다음 [그림 2.23]과 같다.

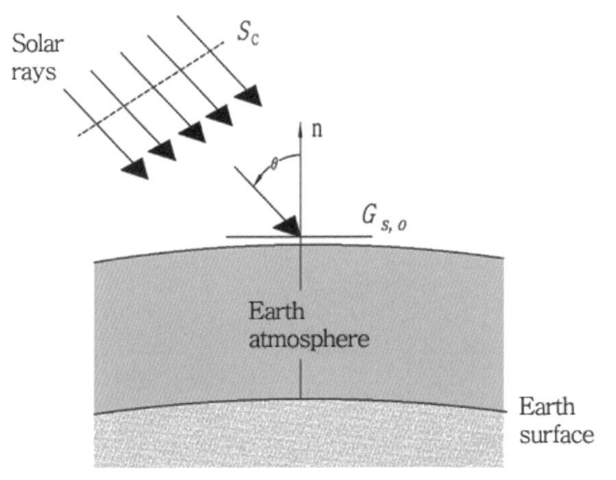

[그림 2.21] 지구 대기권 바깥에서의 태양복사의 방향적 성질 [5]

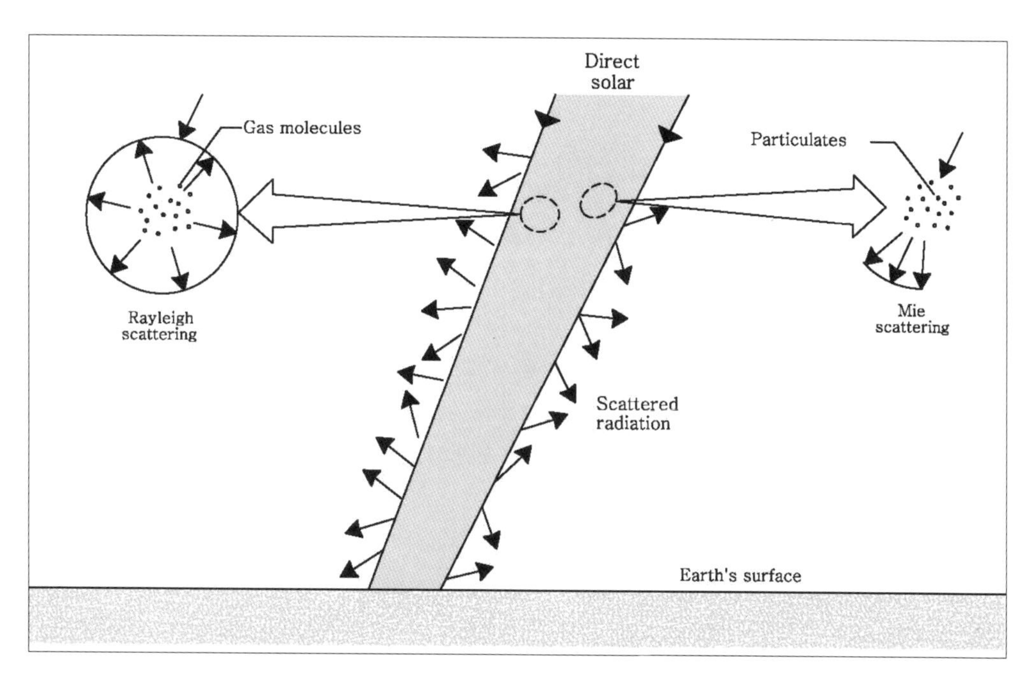

[그림 2.22] 지구 대기권에서의 태양복사의 산란 [5]

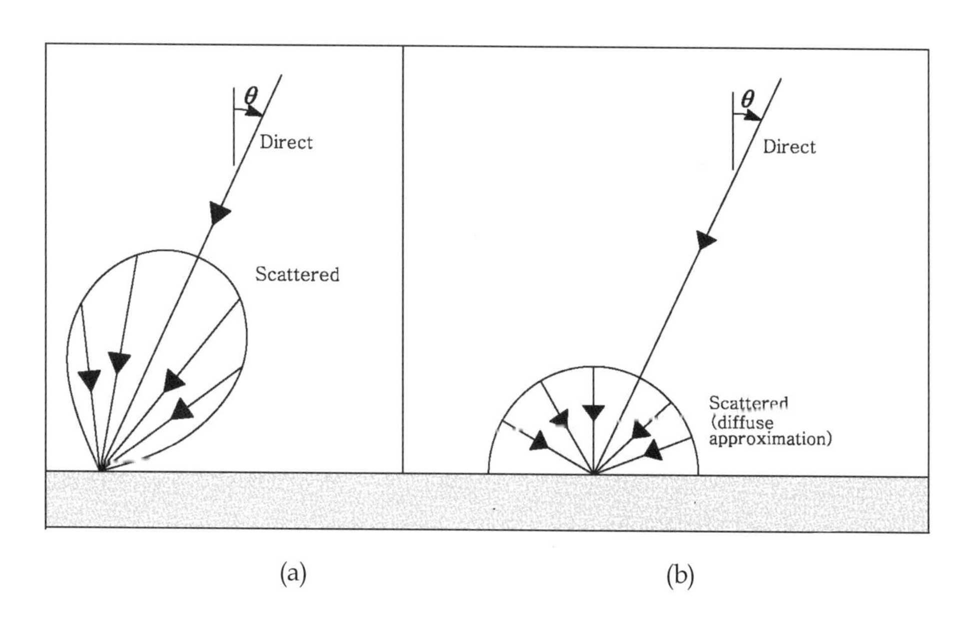

[그림 2.23] 지구 표면에서의 태양복사의 방향분포 (a) 실제분포 (b) 확산으로의 근사 [5]

2.4 적외선열화상 검사에서의 흑체, 회색체, 실체

2.4.1 흑체, 회색체, 실체 간의 차이

앞서 언급된 바와 같이 "흑체(Blackbody)" 는 완벽한 방사체이다. "흑체" 는 투과율이 제로(0)이며 반사율 또한 제로(0)이다. 키리히호프의 법칙(Kirchhoff' s law)에 의하면, 이러한 "흑체" 의 방사율은 1이다. 사실 "흑체" 는 가시광선 방사에 대해 처음 정의 되었다.

가시광선 상에서는 어떤 물체가 빛을 전혀 반사하지도 투과하지도 않을 경우 검은색으로 보이게 된다. 따라서, 이러한 물체가 흑체라고 불리게 되었다. "회색체(Graybody)" 는 모든 파장에 걸쳐 1.0 이하의 일정한 방사율을 나타내는 물체를 지칭한다. "실물(Realbody)" 은 파장에 따라 방사율이 달라지는 물체를 지칭한다.

적외선 열화상 카메라는 특정 파장에서 발생하는 적외선 방사 에너지를 감지한다. 온도값을 얻기 위해 앞에서 설명한 결과치를 흑체를 사용하여 만들어낸 교정표와 비교한다. 이 경우 대상물체가 "회색체" 라는 가정이 포함되어 있다.

대부분의 경우, 이 가정은 사실이고, 의미 있는 측정치에 충분히 가까운 값을 구할 수 있다. 매우 정확한 측정치를 얻기 위해서는, 사용자가 물체의 스펙트럼(파장)의 원리를 이해하고 있어야 한다.

2.4.2. 재료의 방사율

표 2-1 금속재질의 방사율

품명	매끈한 면	거칠은 면	부식된 면
알루미늄	0.04	0.055	0.11~0.19
황동	0.03	0.06~0.2	0.6
구리	0.02	-	0.57
금	0.2~0.4	-	-
철	0.13~0.3	0.25~0.45	0.8~0.95
납	0.06~0.08	-	0.63
니켈	0.04~0.09	-	0.37~0.48
은	0.02~0.4	-	-
주석	0.04~0.07	-	-
아연	0.04~0.05	-	0.11
함석	0.23	-	0.28

표 2-1과 표 2-2는 금속과 비금속의 방사율을 나타내고 있다. 더 많은 재료의 방사율은 http://www.newportus.com/Products/Techncal/MetlEmty.htm 사이트에서 도움을 받을 수 있다.

표 2-2 비금속의 방사율

품명	방사율
석면	0.93~0.96
벽돌	0.75~0.93
탄소	0.93~0.97
유리(연질)	0.94
석고	0.9
대리석	0.93
떡갈나무	0.9
종이	0.92~0.94
석회	0.91
자기(세라믹)	0.92~0.93
수정(거친면)	0.93
루핑지	0.91
고무	0.86~0.95
물	0.95~0.96
검정라카	0.8~0.95
에나멜	0.85~0.91
유성페인트	0.92~0.96
알루미늄 페인트	0.27~0.67
기름	0.94

2.4.3 적외선 측정 이론

열화상 카메라 사용자(thermographers)들은 이러한 방사율(emissivity) 대비현상을 흔히 볼 수 있는데 그것은 절연된 전선과 금속이 볼트로 연결된 부위일 수도 있고, 절연유 처리된 회로차단기나 연결 변환기처럼 도장 처리된 표면에 붙어있는 금속 명판일 수도 있으며, 식별을 용이하게 하기 위해서 사용자가 붙여 놓은 전기테이프 한 조각 일 수도 있다.

불투명한 물체의 경우 방사율과 반사율은 상호 보완되는 것으로 방사율이 높다는 것은 반사율이 낮다는 말이고 그 반대도 마찬가지이다.

적외선 방사율은 열역학적으로 열역학 제1법칙인 에너지 보존의 법칙에 의해 다음과 같다. 흡수율(α)과 방사율(ε)의 값은 같으며 식 (2.52)에서 흡수되는 적외선α(흡수율), ε(방사율), 투과하는 적외선 τ(투과율), 반사되는 적외선을 ρ(반사율) 라고 하면 물체에 입사되는 적외선성분은 다음과 같이 나타낼 수 있다.

$$\alpha+\tau+\rho=1 \quad (\alpha \geq 0,\ \rho \cdot \tau \leq 1) \quad \text{(식 2.52)}$$

불투명체로 물체가 적외선을 투과하지 않을 때 $\tau=0$이 되고 방정식이 식(2.56)와 같이 간단히 나타낼수 있게 되며, $\alpha=1-\rho$에서 반사율을 알면 흡수율도 알 수 있다.

$$\alpha+\rho=1 \quad \text{(식 2.53)}$$

식(2.53)는 매우 중요한 사실을 보여준다. 앞서 말한 것과 같이 간단하게 말하면, 높은 방사율은 낮은 반사율을 의미한다. 반대로, 높은 반사율은 낮은 방사율을 의미한다. 열화상 카메라 사용자들은 방사율이 가능한 최대로 높은 것을 선호한다. 이는 목표 대상체로부터 방사되는 방사에너지의 대부분을 가장 정확하게 읽을 수 있기 때문이다. 하지만, 방사율이 낮아질 경우 측정오차는 점점 커지게 된다.

계산식에 의하면 목표물의 방사율이 0.5이하로 내려갈 경우 측정오차는 수용할 수 없을 정도로 높아지게 된다. 다양한 방사율(emissivity)표가 있지만 방사율은 추측하기가 쉽지 않다. 앞에서 방사율을 물체표면의 특성으로만 논의하였지만, 실제로는 그 이상이다. 물체의 형상에 따라서도 방사율이 달라진다.

반투명체의 경우 두께에 따라 방사율이 달라진다. 이외에도 방사율에 영향을 주는 요소들로는 보는 각도, 파장 및 온도 등이 있다. 방사율의 파장에 따른 차이는 적외선 열화상 카메라의 종류에 따라 같은 물체에 대해 서로 다른 방사율을 나타낼 수 있다는 의미이다. 사실, 이 경우 두 가지 모두 다 옳은 값으로 볼 수 있다.

일반적으로, 절연체(전기적 비전도체)는 0.8 ~ 0.95의 상대적으로 높은 방사율을 나타낸다. 도색이 잘된 금속도 포함된다. 산화되지 않은 금속의 경우 약 0.3 이하의 방사율을 나타내므로 측정 자체를 하지 말아야 한다. 산화된 금속의 경우 0.5 ~ 0.9의 방사율을 나타내는데 그 값의 범위가 너무 커서 측정에 큰 문제점으로 부각된다.

산화된 정도는 물체의 방사율에 중요한 요인이 된다. 산화의 정도가 높을수록 방사율이 높아진다. 불투명한 물체의 경우, 방사율 및 주변(반사된)온도를 알고 있는 경우라면, 적외선 열화상 카메라를 이용한 온도 측정값이 수 % 이내로 정밀한 값을 얻을 수 있다. 올바른 온도를 측정하기 위해서는, 적외선 열화상 카메라는 물체로부터 방사되는 에너지로 인한 부분만을 추출해 낼 수 있어야 한다.

다행히, 최근의 적외선 열화상 카메라는 이러한 기능을 가지고 있다. 반사에 의한 오차 부분을 제거한 후 물체의 방사율에 따라 그 값을 변경 처리한다.

제 3 장 적외선 열화상 측정 시스템

3.1 적외선 열화상 측정 장치

3.1.1 고속 열화상 장비 (High-Speed Thermography)

고속측정을 위해 필요한 열화상 장비의 조건으로는 카메라 프레임속도가 ~ 400 Hz(Full Frame), 28 kHz at windowing mode가 지원되어야 하며 검출시간(Integration Time) 제어는 10 μs ~ 5000 μs, 프로그램 가능 1 μs step 정도의 시간이 되어야 한다. 이를 위해서는 디지털 데이터 고속전송을 위한 인터페이스가 필요한데 GigE & CamLink를 활용하고 있다.

이러한 고속열화상 카메라는 실제 운용중인 타이어의 안전성 실험, 브레이크 디스크와 패드의 열화 안전성 실험등에 활용되고 있다. 이러한 고속으로 회전하는 물체 온도측정의 핵심은 빠른 프레임 속도(초당 찍어내는 열화상 이미지 갯수) 보다는 오히려 짧은 검출시간(Integration time)에 있다. [그림 3.1]은 고속열화상 장비로 측정한 회전체의 열화상을 보여주고 있다.

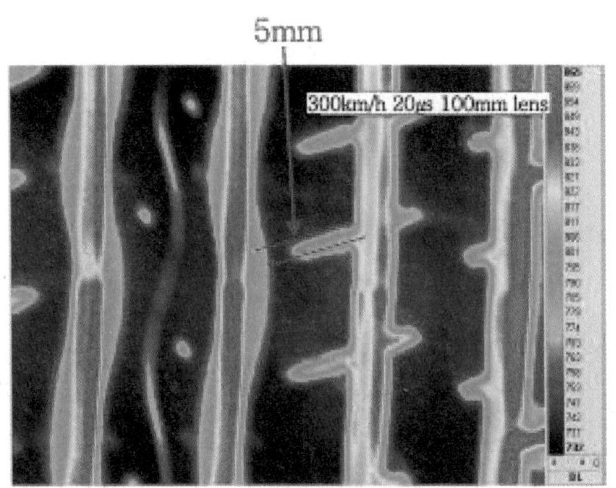

[그림 3.1] 고속 회전체의 열화상 검출 이미지

검출시간은 고속측정에 있어 매우 중요한 요소로 이는 일반 카메라의 노출(exposure)시간에 해당한다. 이미지 센서의 픽셀요소(pixel element)가 photon energy를 얼마나 오랜 시간 동안 받아들여 데이터 값을 내보낼 것인가를 정하는 것이다. 검출시간을 제어하는 방법으로는 일반 사진기에 적용되는 기계적 Shutter를 들 수 있지만 CCD 소자에서는 우리가 electronic Shutter라 부르는, 전자회로로 검출시간(Integration time)을 제어할 수 있는 기능을 가지고 있다.

대부분의 CCD형 Camera는 수동식(Manual)과 자동식(Automatic)의 두 가지 방법으로 Integration Time을 제어할 수 있는데 흔히 Shutter Speed라 부르는 수동식 제어 타입(Manual Type Control)을 통하여 제어하는 방법이 있으며, 자동식 제어 타입 (Automatic Type Control)은 들어오는 적외선량을 스스로 감지하여 열화상카메라에서 자동적으로 시간을 제어하는 것을 말한다.

3.1.2 마이크로스코픽 열화상 장비 (Microscopic Thermography)

정밀 소자 측정을 위한 필요조건으로는 작은 공간분해능을 가진 Microscopic 렌즈를 활용하여 최대 픽셀당 5㎛의 공간분해능을 유지하며 큰 픽셀해상도 640 x 512 픽셀 해상도를 지원할 수 있다.

이러한 장비는 반도체 소자 등의 정밀 전자, 기계 부품이나 나노 시스템의 결함 검출에 활용되며, 정밀한 측정을 위하여 열화상 카메라의 움직임을 최소화하기 위하여 Microscopic 전용스탠드(Anti-Vibration)를 사용하여 움직임이나 진동에 대비하여 사용한다. [그림 3.2]는 IC 소자의 열화검출을 보여주고 있다.

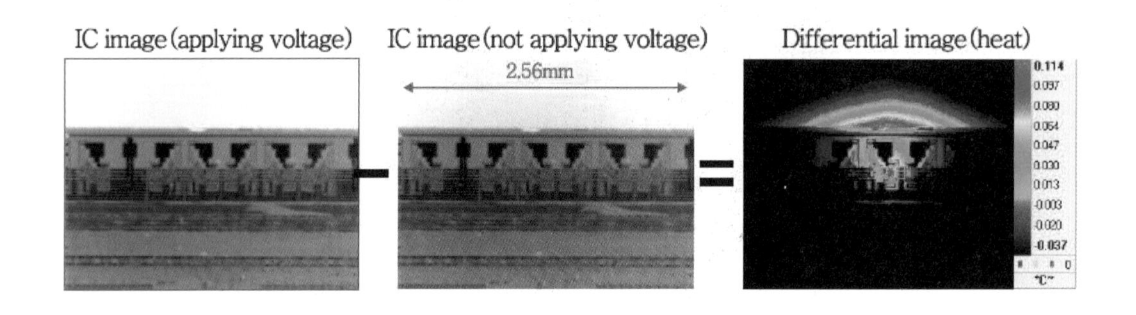

[그림 3.2] IC 소자의 열화검출 이미지

3.1.3 분광 열화상 장비 (Spectral Thermography)

적외선 분광 특성을 이용한 계측의 필요조건으로는 단 파장 (Short wave / 0.8 ㎛ ~ 2.5 ㎛), 중파장 (Middle wave / 1.5 ㎛ ~ 5 ㎛), 장파장(Long wave / 8 ㎛ ~ 12 ㎛)과 같이 측정 파장 대역의 다양성이 요구된다. 이러한 특정 파장 대역을 만들는 방법으로는 필터를 활용한다.

적외선열화상 카메라 마다 각기 다양한 종류의 필터가 지원되는데 고온용 필터(Narrow 3.99 μm High Temp. Filter), CO2 필터(Narrow 4.25 ㎛ CO^2 Filter to visualize CO^2 gas), Glass 필터(High Pass 4.99 μm Glass Filter), Through Glass 필터(Narrow 2.35 or 3.90 μm Through Glass Filter), 각종 Neutral Density 필터(-Neutral Density 1 ㎛ ~ 5 ㎛ 1% or 2% or 6.25% or 25% Filter) 등 어플리케이션에 적합한 필터를 적용하여 활용한다. [그림 3.3]은 필터를 이용한 검출 이미지를 보여주고 있다.

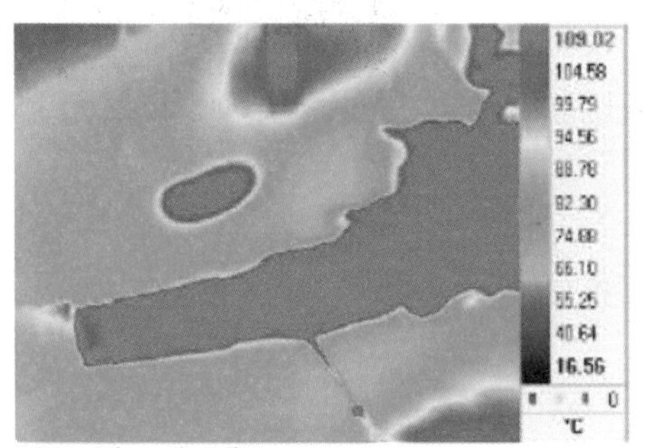

Position 1 : Open
from 16℃ to 109℃

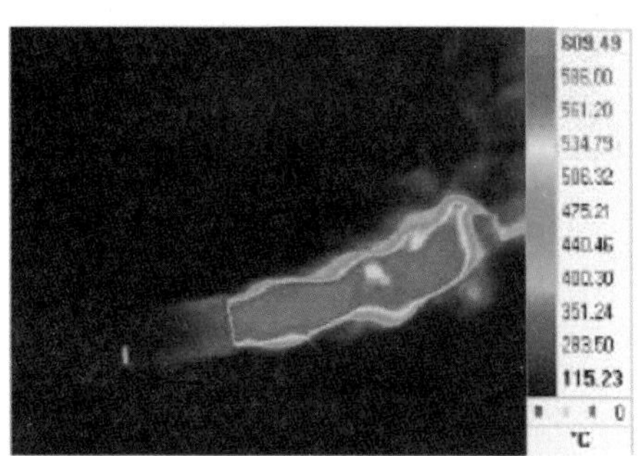

Position 4 : Filter NA_4.24−4.26_060%
from 115℃ to 609℃

[그림 3.3] 필터를 이용한 화염 검출

3.1.4 위상 장금 열화상 장비 (Lock-In Thermography)

위상 잠금 열화상 검출 기법(Lock-in Thermography)는 외부 에너지원을 대상체에 입사하여 입사되는 에너지원의 부하 주기와 카메라의 측정 주기를 동기화시켜 결함을 검출하는 기술로 입사되는 (열)에너지 분포(온도분포)의 불균일성을 제거하기 위한 기술이다.

이러한 위상 잠금 열화상 검출은 뛰어난 온도 분해능과 정밀도 달성을 위하여 감도가 좋은 InSbor MCT 검출소자를 활용하여 온도분해능을 NETD 0.02 ℃, 정확도+/-1 ℃(%) 수준까지 끌어 올려서 사용한다. Lock-in 기술을 위한 하드웨어인 카메라에는 내장 Lock-In module이 탑제되어 프로세싱은 카메라 내부에서 수행 된다.

검출되는 열화상 이미지를 얻기 위하여 Lock-in 기술전용 분석 소프트웨어를 활용한다. Lock-in 기술을 활용하기 위해서는 금속은 높은 방사율을 가진 페인트(무광 흑색 페인트)가 필요하며, 폴리머와 복합체는 페인팅이 필요하지 않다. [그림 3.4]는 위상 잠금 열화상 검사 장치의 구성을 보여주고 있다.

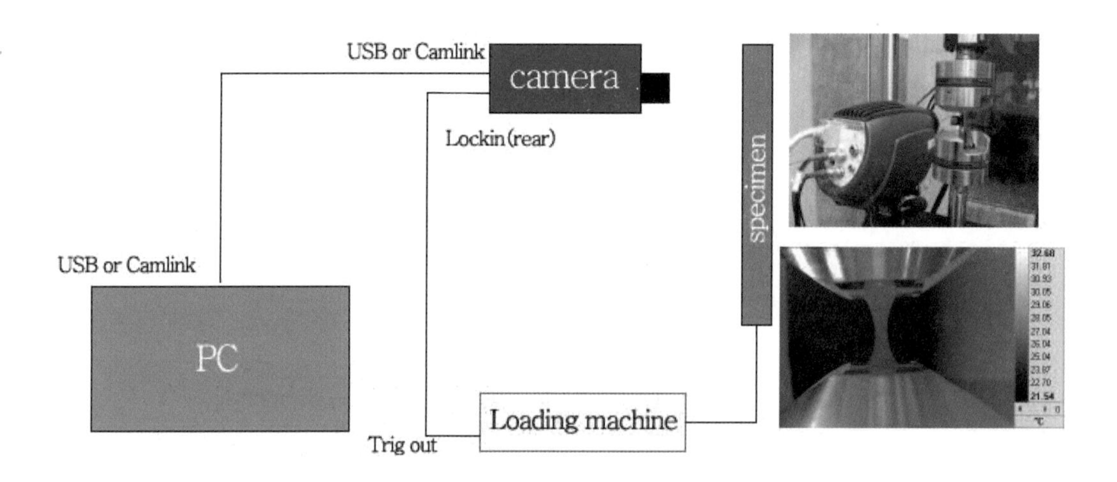

[그림 3.4] 위상 잠금 열화상 검사 장치도

3.2 적외선 열화상 센서

3.2.1 적외선 열화상 센서 원리

적외선 열화상 센서로서 채택된 반도체 재료의 작동 원리는 입사한 적외선의 에너지를 흡수하여 여기된 전자(excited electron)가 신호로 기여하는 광전도(photoconductive) 현상이다. 또한 소자 형태에 따라 단순한 저항 형태로 된 경우를 광전도형(photoconductive, PC) 소자라 하며, 다이오드 형태를 이룬 경우를 광기전력형(photovoltaic, PV) 소자라 부른다. 이외에도 양자 우물(quantum well) 구조를 가진 GaAs/GaAlAs 반도체는 상온에서 동작하며, 양자우물 내에 존재하는 준위들의 에너지 차이가 입사하는 적외선 에너지와 비슷하게 하여 신호를 생성하게 하는 반도체 재료이다.

열전효과는 두 종류의 금속을 접촉해 놓고, 접촉점에 열을 가하면 열에 의해 기전력의 차이가 발생하는 현상을 이용한 것으로 열전대(thermo-couple)와 이러한 열전대를 직렬로 모아 놓은 열전기더미(thermopile)가 있다.

볼로미터 효과는 입사한 적외선에 의해 재료의 온도가 상승하여 저항이 급격히 변하는 효과를 이용한 것으로 Si, Ge, V2O5, 초전도체(Superconductor) 등이 있다. 그리고 초전효과는 유전체(dielectrics)의 양면에 금속판을 만든 후 적외선을 입사하면 내부 분극이 바뀌어 금속판의 전하량이 바뀌는 현상으로 BaSrTiO3, PZT 등의 초전체(pyroelectrics) 등이 있다.

양자형과 열형은 각각의 장점이 있기 때문에 응용 분야에 따라서 사용하는 재료가 달라진다. 군수용처럼 가격보다는 성능 위주로 적외선을 감지하고자 하면 반드시 양자형의 재료를 사용해야 한다. 그러나 민수용은 성능보다는 가격도 고려되어야 하므로 열형 재료를 많이 사용하고 있다.

이러한 적외선 센서들은 가격 면에서 보면 수 만원에서부터 수 천만원까지 다양한 층을 이루고 있다. 그러므로 적용하고자 하는 목적을 명확하게 해야만 가격 대 성능이 우수한 적외선 센서를 채택할 수 있을 것이다.

3.2.2 적외선 열화상 센서 종류

적외선 영상 시스템에서 가장 핵심이 되는 기술은 사람 눈에 해당되는 적외선 센서의 개발이다. 적외선 센서의 재료에는 작동 원리에 따라 크게 양자형(photon)과 열형(thermal)으로 나눌 수 있다.

양자형은 주로 반도체 재료이며, 열형은 반도체 이외의 재료들이다. 반도체 재료들은 특성은 좋으나 액체 질소 온도(-193℃)에서 작동한다는 단점이 있는 반면에, 열형 재료들은 성능은 반도체에 비해 다소 떨어지지만 대부분 상온에서 동작한다는 장점이 있다. 그리고 반도체 재료들은 대부분 낮은 온도에서 작동하고 열형 재료들은 상온에서 동작하기 때문에, 작동 온도에 따라 냉각형과 비 냉각형으로 구분하기도 한다.

이러한 이유로 냉각이 필요한 양자형 재료들은 주로 군수용의 목적으로 연구되고 있으며, 비 냉각형(uncooled)인 열형 재료들은 민수용으로 사용되고 있다. 이러한 적외선 센서 재료들의 작동 온도 및 반응하는 적외선 파장 영역을 표 3-1에 요약하였다.

표 3-1 적외선 센서 타입 비교

	Photon Detector	Thermal Detector
원리	빛에 의해 생성된 전자로 신호 생성 $h\nu > E_g$, E_g	적외선에 의한 센서 소자의 온도 변화를 감지하여 신호 생성 IR, Membrane, ΔT, Substrate
동작 온도	냉각 (10K~200K)	상온 (~300K)
속도	빠름 (~수천 frame)	느림 (~30 frame)
감지도	높음 (~10^{10} cm $Hz^{1/2}$ / W)	낮음 (~10^{8} cm $Hz^{1/2}$ / W)
휴대성	냉각기가 별도로 필요	소형, 경량
가격	높음	비교적 저가
제작 물질	HgCdTe, InSb, PtSi, …	VOx, a-Si, Ti, BST, TiOx…

3.2.3 적외선 열화상 센서 동작기능

[그림 3.5]에서 가로축은 적외선 파장을 나타내며, 세로축은 센서의 성능을 나타내는 값으로 탐지도(Detectivirty, D*)라고 정의된 값이다. 이 값의 의미는 센서에 입사한 적외선을 전기적 신호로 얼마나 잘 변환시켜 주는가 하는 것과 미세한 온도 차이를 얼마나 잘 구분하는가를 표시해 주는 값이다. 그러므로 이 값이 클수록 성능이 우수한 적외선 센서이다.

그리고 [그림 3.5]에 있는 두 개의 점선은 이론적으로 접근이 가능한 가장 높은 탐지도를 나타낸다. 그러나 [그림 3.5]에 있는 탐지도는 단일 소자에 대한 값이므로 일차원 또는 이차원 배열의 센서인 경우는 각 소자에서 나오는 신호들을 적분해서 신호처리를 하기 때문에 이론적인 값보다 높게 나온다.

반도체 재료들은 적외선에 반응하여 전기적 신호로 기여하는 전자가 내인성(intrinsic), 외인성(extrinsic), 그리고 자유 전자형(free electron)인가에 따라 분류가 되며, 열형 재료들은 작동 원리에 따라 열전효과(thermoelectric), 볼로미터(bolometer), 그리고 초전효과(pyroelectric)를 이용한 재료들로 분류된다. 내인성 반도체 재료에는 PbS, PbSe, InSb, HgCdTe 등이 있으며, 외인성 반도체 재료에는 Si:In, Si:Ga, Ge:Hg 등이 있으며, 자유전자 반도체 재료에는 PtSi, Pt, Si 등이 있다. 이들의 작동 온도는 대부분 저온에서 작동하는 냉각형 재료들이다.

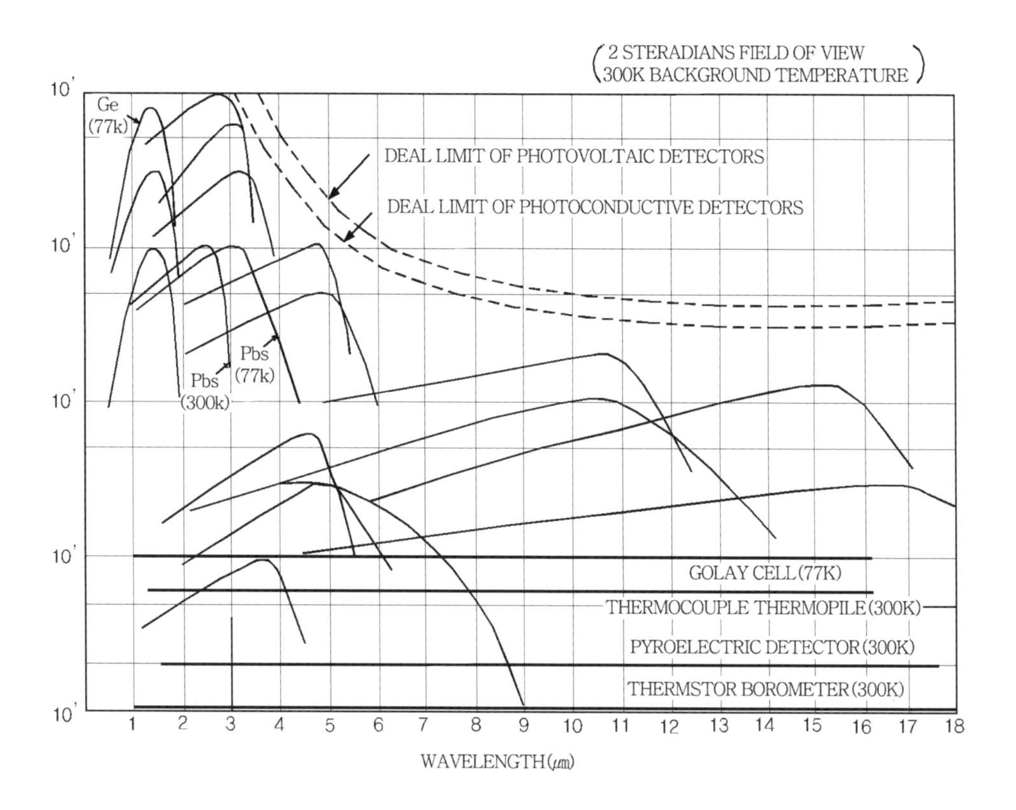

[그림 3.5] 적외신 센서 재료들의 작동 온도 및 반응하는 적외선 파장 영역

3.3 기타 적외선 열화상 기기

3.3.1 적외선 열화상 렌즈

적외선 열화상 카메라의 렌즈도 일반 카메라와 유사한 방법으로 설계되지만 일반렌즈로 제작된 카메라 렌즈는 적외선 열화상 장비에서는 사용할 수 없다. 그 이유는 전자파의 일종인 가시광선과 적외선의 파장이 다르기 때문에 일반 렌즈는 적외선을 통과시키지 못한다.

따라서 적외선 복사 에너지만을 통과시키는 역할을 하는 렌즈가 필요한데 이러한 렌즈를 만드는 대표적인 재질로는 게르마늄과 실리콘이 사용된다. 이들 렌즈는 적외선 복사 에너지(파장)가 반사되지 않도록 반(反) 반사 코팅을 하게 되며 실리콘 재질의 렌즈는 단파장 대역용(3 ~ 5 ㎛)으로 게르마늄 재질의 렌즈는 장파장대역용(7.5 ~ 13 ㎛)으로 사용된다.

3.3.2 필터(Filter)

일반적으로 적외선 열화상 카메라는 모든 피사체의 표면의 온도만을 측정하여야만 되는데 간혹 일반 유리의 경우 고온에서는 열이 유리를 투과하는 경우가 있다.

그렇게 되면 실제 유리 표면으로부터 복사되는 에너지가 측정되는 것이 아니고 유리를 투과한 복사 에너지가 측정되는 경우가 발생하는데 이를 방지하기 위하여 단지 유리 표면으로부터 복사되는 에너지만을 측정하기 위하여 필터가 장착되기도 하고, 특정 온도(고온)를 측정하기 위하여 특정 파장만을 검출할 목적으로 필터가 사용되기도 한다.

3.4 적외선 열화상 측정시스템의 교정

적외선 열화상 카메라는, 적외선 방사 온도계의 분류에 속하는 것으로써, 온도 측정이 주요한 기능중의 하나이다. 따라서 보다 정확한 측정을 위해서는 정기적인 온도 검정뿐만 아니라, 오차 발생 온도값을 하드웨어적으로 다시 보정하여 사용하는 것이 바람직하다. 이러한 교정은 크게 하드웨어적인 교정과 소프트웨어적인 교정으로 이루어지는데 하드웨어적인 교정은 카메라 자체를 제작업체에서 교정하는 방법이다.

현장에서는 대부분 간편한 방법으로 카메라의 동작시 가장 기본이 되는 정보를 담고 있는 소프트웨어를 통한 교정을 진행하고 있는데 이는 온도를 정밀하게 표시해주는 Black Body (흑체)장치를 통해 이루어지게 된다. 흑체장치에서 정확한 온도를 방출할 때 카메라의 작동시 읽어 들이는 소프트웨어 값을 교정하여 장비가 정확한 온도를 읽어 들일 수 있게 교정하게 된다.

이렇게 교정된 열화상 카메라를 알맞게 사용하기 위하여 프로그램 운용을 통한 반사보정(Reflection calibration)과 NUC처리를 하게 된다. 반사보정이란 실온 또는 주변 온도로부터 반사성분을 제거하기 위한 기능으로, 만약 반사보정을 하지 않은 상태에서 방사율이 낮은 대상물을 측정하는 경우 실온 또는 주변 온도로부터 반사성분을 무시할 수 없게 되어 정밀한 온도측정을 할 수 없다.

방사율 1.00로 계측한 후 PC상에서 방사율을 보정하는 경우에라도 측정시에는 교정이 필요하다. NUC 처리 (Non Uniformity Correction)라는 것은 적외선 검출 소자 (UFPA)의 특성 흐트러짐을 보정하는 기능으로 NUC를 실행함으로써 급격한 환경온도 변화가 있는 경우 보다 정밀하게 온도를 측정할 수 있다.

NUC 조작 방법에는 수동 NUC와 자동 NUC가 있다. 이렇듯 운용중인 열화상 카메라의 경우 적외선 열화상 장비의 품질, 신뢰성을 유지하기 위하여 1년에 1회 이상 정기 온도 교정을 실시할 것을 권장하고 있으나 국내실정은 대부분 초기 출시장비를 그대로 사용하는 경우가 대분이고 판매처에 장비의 교정을 맡겨도 제조사에서 제공하는 간단한 교정 시스템을 이용하여 교정하고 있으며, 전문 교정시설 및 자격을 갖춘 교정사가 부족하다.

국내에서는 한국표준과학연구원이 교정시설이 완비되어 있으나, 비용 및 교정에 대한 인식부족으로 실질적으로 교정이 정기적으로 이루어지지 않고 있으나 한국 교정시험기관 인정기구(KOLAS) 인증 기관을 통하여 언제든 교정과 검사를 받을 수 있다.

제 4 장 적외선 열화상 탐상 기법

4.1 개요

적외선 열화상 비파괴검사는 수동적 방법(Passive method)과 능동적 방법(Active method)로 크게 구분할 수 있다.

4.1.1 수동적 방법(Passive Method)

패시브(수동) 방식은 측정 대상물로부터 자연스럽게 방사되고 있는 적외선 에너지를 검출하는 일반적인 측정방법으로 그중에서도 가장 대표적인 방법이 [그림 4.1]과 같은 수동적 검사법(passive method)이다.

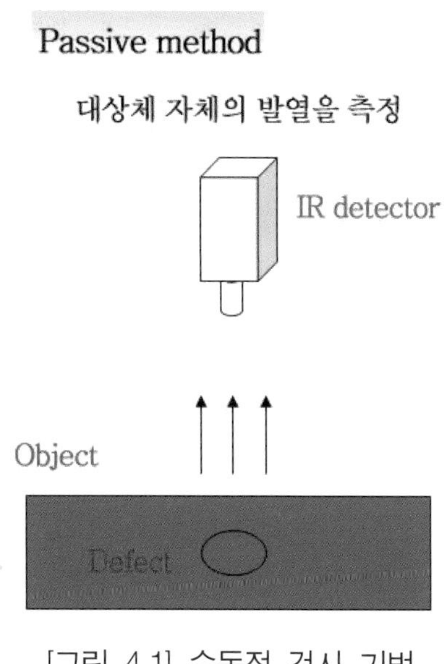

[그림 4.1] 수동적 검사 기법

수동적인 방법으로의 결함탐지는 검사에 앞서 온도가 환경에 따라 일정하다. 따라서 시험대상체는 결함 부위에서 기록할만한 온도를 제공하기 위해 가열되거나 냉각되어져야 한다.
이 방법은 제어할 수 없는 에너지(태양)와 상호작용으로 대상체가 방사하는 적외선 에너지를 측정하여 분석하는 기법으로 적외선을 방출하는 모든 물체에 해당하는 사항으로 그 물체가 방출하는 고유의 적외선량을 감지하여 화상으로 나타낸다. 예를들어, [그림 4.2]에서와 같이 전력열화, 전자 부품이나 기판에서는 전류를 흘린 동작 상태에서 측정하는 것이 대부분이므로 주울(Jule) 열로 온도 분포가 가능하므로 그대로 측정하면 된다.

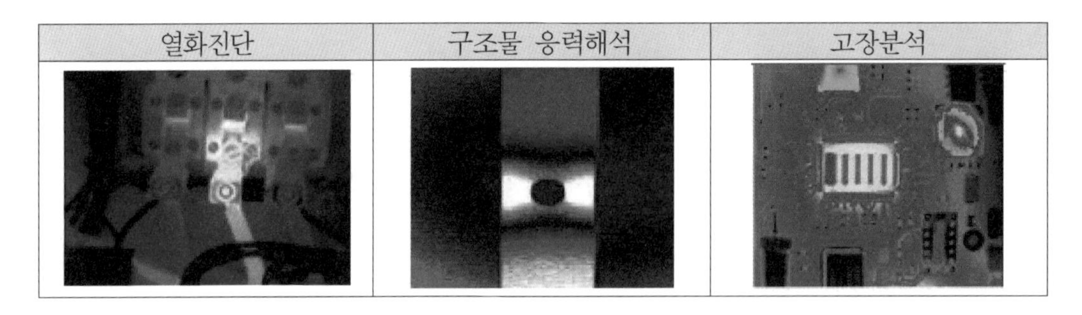

[그림 4.2] 수동적 검사 기법 응용 예

또한, 수동적 방법은 물체고유의 상태를 파악하는데 사용되는 가장 기본적인 방법으로 측정 대상체의 정량적인 미시적 정밀도를 요구하는 분야보다는 거시적인 측정법 속한다.

이렇듯 수동적 검사 방법은 주야간 식별 보안설비, 전자부품의 이상발열, 전력설비 열화진단, 기계설비 열화진단, 건축구조물 단열평가, 저장탱크 액위 검출, 플랜트 배관 단열평가 등등에 활용하고 있으며 이러한 수동적 열화상 검사기법시에 고려되는 사항은 물체표면 방사율, 주변온도, 측정각도, 풍속, 거리, 형상에 따라 검출 성능이 다르게 나타나므로 주의해야만 한다.

4.1.2 능동적 방법(Active Method)

능동적 검사기법(Active method)는 [그림 4.3]과 같이 수동적 검사기법과 달리 검사체 고유의 적외선량에 의존하지 않고 제어 가능한 에너지를 입사하고 그 반응으로 검사체가 방사하는 적외선 에너지를 측정하여 분석하는 기법이다.

이러한 검사기법은 물체표면 방사율, 주변온도, 측정각도, 풍속, 거리, 형상에 따른 영향을 제어하여 검사자가 얻고자 하는 결과를 정밀하게 얻을 수 있는 장점이 있다.

능동형 검사기법으로는 대표적으로 광적외선, 진동, 마이크로웨이브, 초음파, 와전류 등 에너지의 입사 종류에 따른 분류와 제어 방법에 따른 분류로 나뉠 수 있는데 이러한 검사기법을 통하여 검사체로부터 얻을 수 있는 결과 값이 더욱 정밀해 지는 효과가 있다. 또한, 전류를 흘리는 방법이나 전류의 ON/OFF를 궁리하여 고장 위치를 알기 쉽게 하는 방법도 이루어지고 있다.

액티브(능동) 방식은 일반적으로 측정 대상물에는 전혀 열이 가해지지 않아 온도 분포가 없거나 온도 또는 온도차(대상체의 온도변화차)가 매우 미소한 경우, 외부로부터 열을 가함으로써 측정 대상물의 표면의 미세 결함(크랙 등)이나 내부 결함(내부 크랙이나 보이드=공극)을 온도 분포로서 부상시켜 검출하는 방법이다.

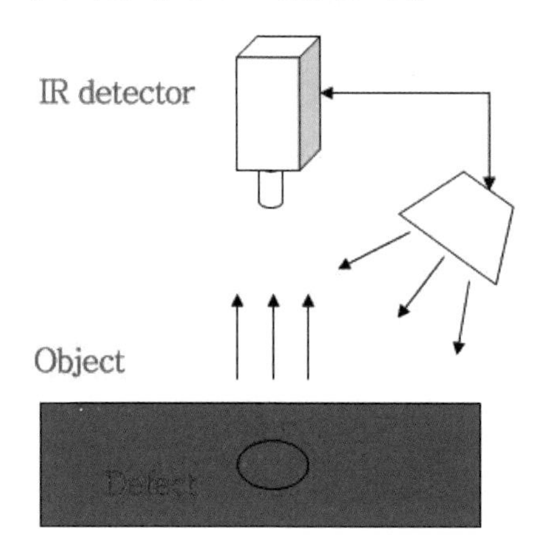

[그림 4.3] 능동적 검사 기법

가열부 또는 외적자극에 의한 에너지원이 있는 능동적인 TNDT는 신호에 따라 다음과 같이 분류될 수 있다.

1) 열자극 형태,
2) 시험 대상체 및 열자극원의 배열
3) 열자극을 받는 부위의 크기와 형상,
4) 열자극

[그림 4.4]은 다양한 에너지원을 이용한 능동적 TNDT를 도시한 것이다.

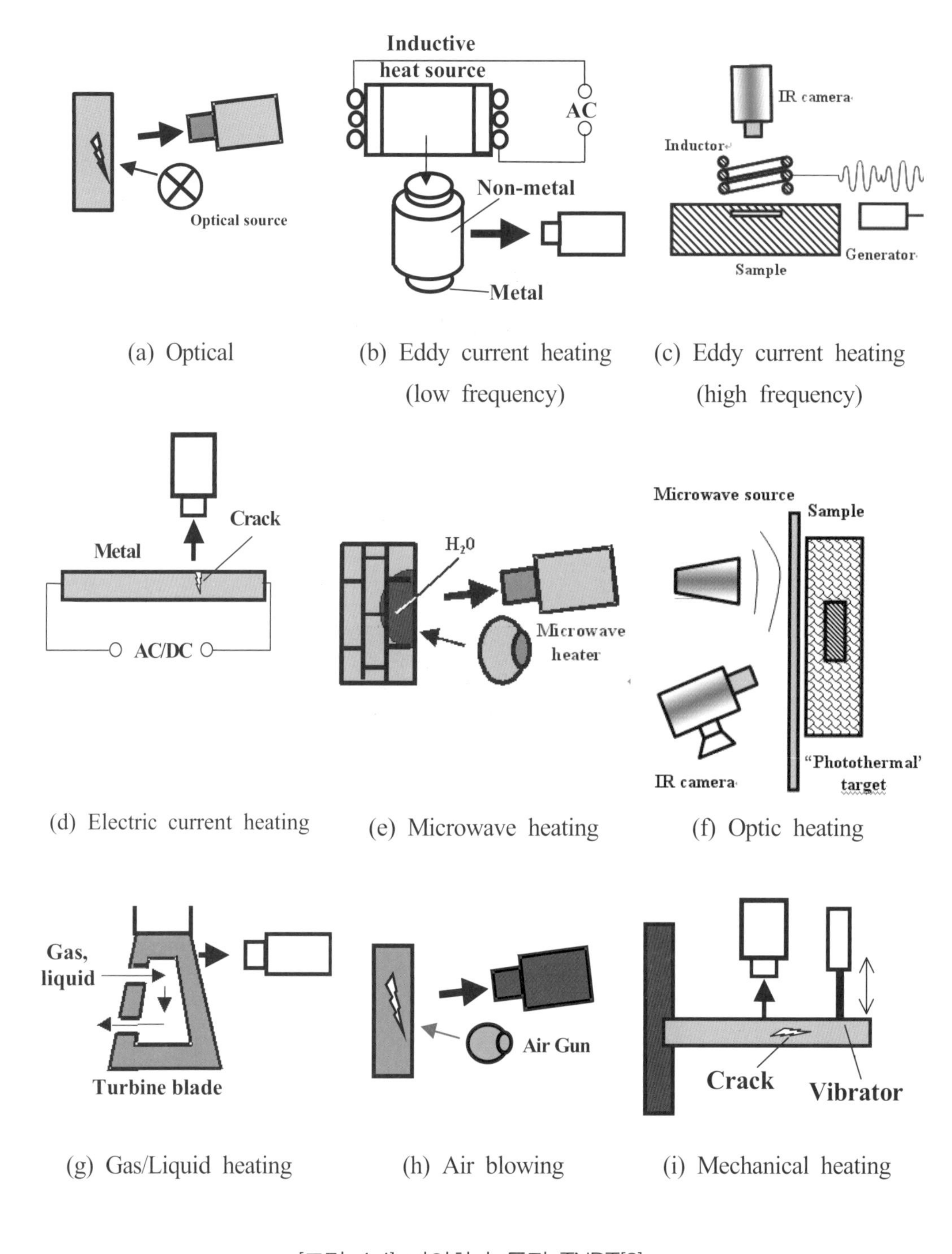

(a) Optical

(b) Eddy current heating (low frequency)

(c) Eddy current heating (high frequency)

(d) Electric current heating

(e) Microwave heating

(f) Optic heating

(g) Gas/Liquid heating

(h) Air blowing

(i) Mechanical heating

[그림 4.4] 다양한 능동적 TNDT[2]

4.2 주요 적외선 열화상 탐상 기법

4.2.1 광 적외선 열화상 방법(Optical-infrared Thermography)

적외선을 이용한 열화상 검출 기법은 입사 에너지원을 광원(optical energy)을 활용하는 방법이다. 검사체 고유의 적외선량에 광원을 통하여 에너지를 조사하여 열에너지를 더해주고 이때 발생하는 검사체의 적외선 에너지량의 차이를 검출하는 기법이다.

이러한 광원에 활용되는 장치로는 할로겐 램프, 제논램프 등이 활용되고 있으며 짧은 시간에 높은 광원을 방출할 수 있는 장치 장치가 활용되고 있다. 현재 산업현장에서 활용되는 능동형 기법중에 가장 널리 사용되는 기법으로 장비의 운용이 쉽고 검사범위가 다른 능동형 기법에 비해 상대적으로 넓은 장점이 있다.

금속결함 검출에 적용되는 경우, 열확산계수가 큰 금속 재료일수록 검출소자의 샘플링 한계로 인하여 결함을 찾는데 어려움이 있다. 이러한 문제는 위상잠금(lock-in)기법을 적용함으로서 개선되었다. [그림 4.5]은 위상잠금 광 적외선 검사방법과 장치 구성에 따른 검출 결과물을 보여주고 있다.

위상잠금 광 적외선 열화상(lock-in optical infrared thermography: lock-in IRT)의 원리는 대상체를 자극하는 열원을 조화함수로 변조하여 입사하고 이 조화함수에 검출소자를 동기화시켜 조화 함수의 위상변화를 복조하는 것이다. 위상잠금을 사용하여 위상변화를 추출함으로서 낮은 샘플링에서도 표면의 미세한 변화를 감지할 수 있으며, 불균일한 표면 방사율의 영향을 적게 받게 된다.

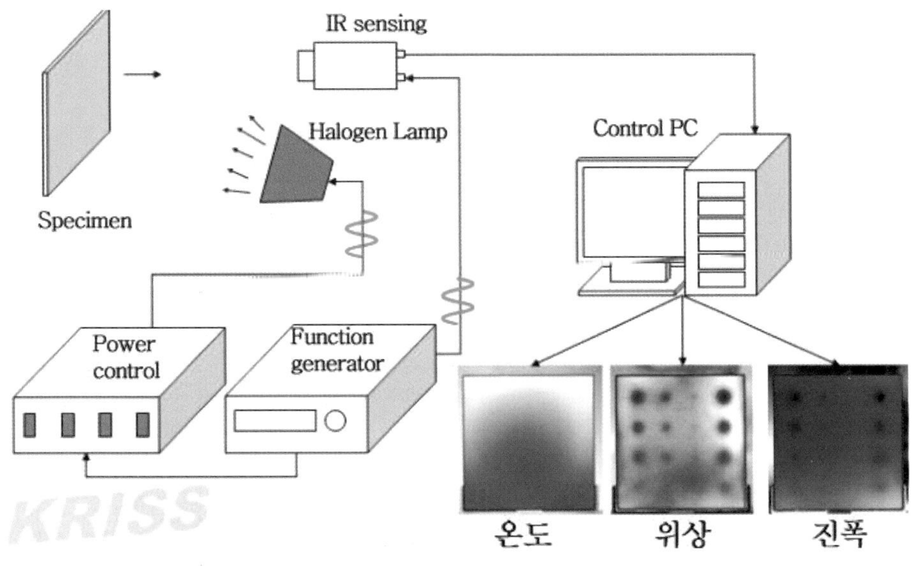

[그림 4.5] 광 적외선 검사 기법과 장치 구성 및 결과

[그림 4.5]과 같이 시스템을 구성하고, 조화함 수로 입사되는 열원(heat source)인 광원과 적외선 검출소자를 동기화시켜 대상체의 응답신호를 획득하게 된다. 식(4.1)로 표현되는 고체 내의 1차원 열전도 방정식에서 외부 자극원으로서 광(할로겐 램프)을 사용하여 대상체에 조화함수($T = T_0 \cos\omega t$)로 가열하고, 이때 대상체로 침투한 열원의 변화를 관찰하여 결함을 검출하는 방법이다.

$$\frac{\partial T}{\partial t} = \frac{k}{\rho c_p}\frac{\partial^2 T}{\partial x^2} \quad \cdots\cdots(식\ 4.1)$$

여기에서 T는 온도, t는 시간, k는 열전도계수, ρ는 밀도, c_p는 비열, x는 열유동 방향으로의 거리이다. 조화함수로 가열된 식(4.1)의 해는 식(4.2)와 같이 나타낼 수 있다.

$$T(x,t) = T_0 e^{-\frac{x}{\mu}} \cos(\omega t - \frac{x}{\mu}) \quad \cdots\cdots(식\ 4.2)$$

여기서 침투깊이(thermal diffusion length)는 $\mu = \sqrt{\frac{\alpha}{\pi f}}$, 열확산계수(thermal diffusivity)는 $\alpha = \frac{k}{\rho c_p}$ 이다. 위상잠금 기법에서는 식(4.2)에서 측정결과로부터 위상을 추출함으로서 검출 민간도를 향상시킬수 있으며, 표면 방사율의 불균일성에 의한 결함 검출 오류를 최소화할 수 있다. 식(4.2)에서 위상은 외부 자극원과 적외선 검출소자를 동기시켜 자극원의 주기 간격으로 연속하는 적외선 검출신호 I_1, I_2, I_3, I_4 를 식(4.3)과 같이 획득하고, 식(4.4)를 사용하여 추출할 수 있다.

$$I_1 = T_0 e^{-\frac{x}{\mu}} \cos(\omega t - \frac{x}{\mu})$$
$$I_2 = T_0 e^{-\frac{x}{\mu}} \cos(\omega t - \frac{x}{\mu} - \frac{\pi}{2})$$
$$I_3 = T_0 e^{-\frac{x}{\mu}} \cos(\omega t - \frac{x}{\mu} - \pi)$$
$$I_4 = T_0 e^{-\frac{x}{\mu}} \cos(\omega t - \frac{x}{\mu} - \frac{3\pi}{2}) \quad \cdots\cdots(식\ 4.3)$$

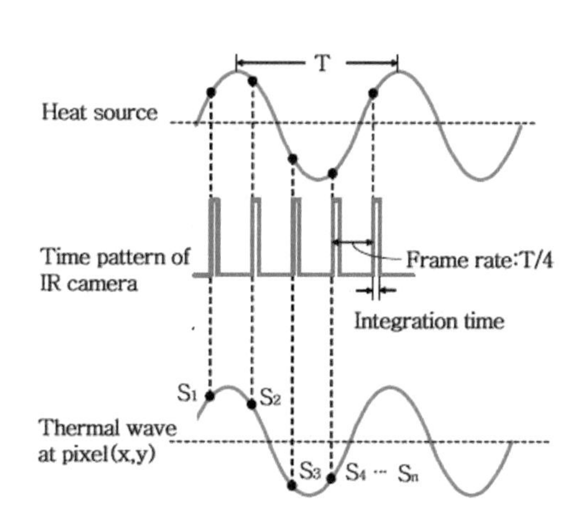

$$\varnothing = \frac{x}{\mu} = \tan^{-1}(\frac{I_4 - I_2}{I_1 - I_3}) \quad \cdots\cdots(식\ 4.4)$$

4.2.2 진동 적외선 열화상 방법(Vibro infrared thermography)

[그림 4.6]과 같이 입사 에너지원으로 진동을 발생시켜 이때 결함부에서 발생하는 열적거동을 검출하는 기법이다.

검사체에 20 Hz ~ 50 Hz의 진동을 가진시키면 이때 검사체는 열탄성 효과와 마찰이 발생되게 되는데 이때 결함부에서 열이 발생하게 된다. 이러한 열적 거동을 검출하여 결함탐지에 사용할 수 있다. 하지만 직접적인 접촉력이 가해지고 공진현상이 발생할 경우 재료에 손상을 입히거나 결함부위가 확대되는 단점이 있다.

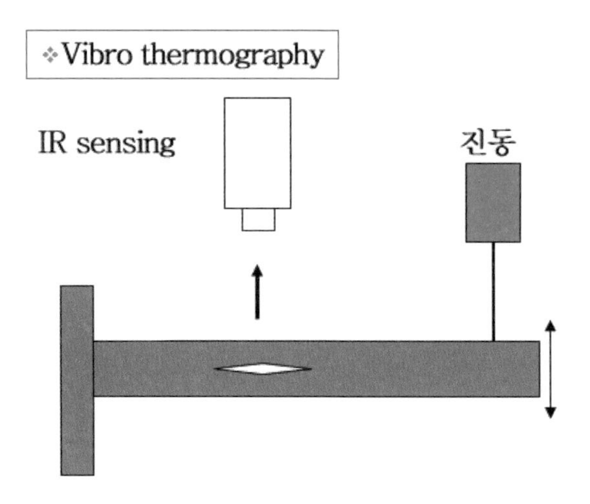

[그림 4.6] 진동 적외선 검사 기법

4.2.3 마이크로파 적외선 열화상 방법 (Microwave infrared thermography)

[그림 4.7]와 같이 마이크로웨이브 열화상 검사기법은 전자레인지의 가열현상을 유추하면 이해가 빠를 것이다. 전자레인지와 같이 검사체에 마이크로웨이브를 발생시키게 되면 검사체 내부에 있는 수분의 분자활동이 활발해 지게 되어 열이 발생하고 이때 검사체에서 방출되는 적외선 에너지를 검출하여 검사체의 상태를 진단할 수 있는 방법이다.

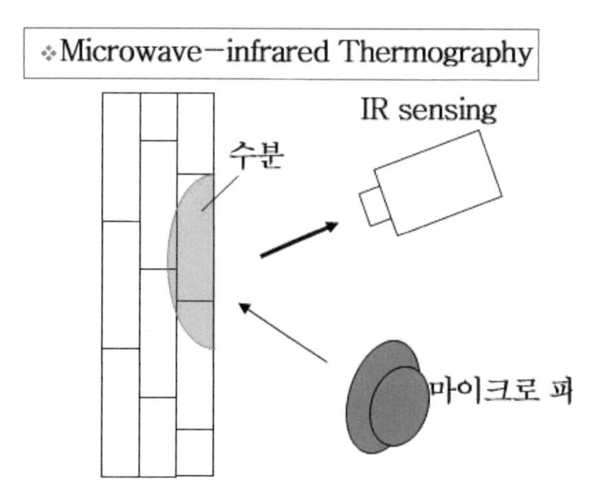

[그림 4.7] 마이크로파를 이용한 열화상 검사

4.2.4 초음파 적외선 열화상 방법 (Ultrasound infrared thermography)

초음파 적외선 열화상 기법은 Ultrasonic infrared thermography라고도 하는데 앞선 검사 기법중에 진동을 이용한 기법과 흡사한 방법이라 하겠다.
이는 진동이 20kHz로 일어나게 되면 가청 주파수를 넘어서게 되고 이를 우리는 초음파라하며 이때 발생되는 에너지원을 이용하는 검사기법이다. 실제 초음파 영역은 20kHz이상을 통칭 사용하고 있으나 열화상 검사 시에는 15 ~ 40kHz 대역의 가청이 일부 가능한 영역부터 초음파 탐상 비파괴 검사기법에 비하여 낮은 주파수의 초음파가 활용된다.

이러한 초음파를 발생시키는 장치는 대부분 초음파혼을 통하여 발생되게 되는데 높은 주파수 영역으로 인해 진동 적외선 방법에 비하여 많은 진동을 발생시키게 되어 상대적으로 다른 검사 기법에 비하여 작은 um 크기의 결함을 빠르게 검출할 수 있는 장점이 있다.

이때 발생하는 초음파는 횡파, 종파가 혼합되어 발생하는 혼합파로 형태로 발생되어 매질을 타고 진행하게 된다. 초음파 발생기를 통하여 매질의 음향 인피던스에 따라 달리 전파되는 초음파는 결함에 다다르게 되면 탄성파와 마찰, 슬라이스 등을 일으키는 검사체의 물리적 현상에 의하여 발열이 발생되게 되고 이를 열화상 카메라를 통하여 검출하여 결함 여부를 진단 할 수 있는 기술이다.

[그림 4.8]은 초음파 열화상 검사 방법과 장치구성도 및 결과를 보여주고 있다.

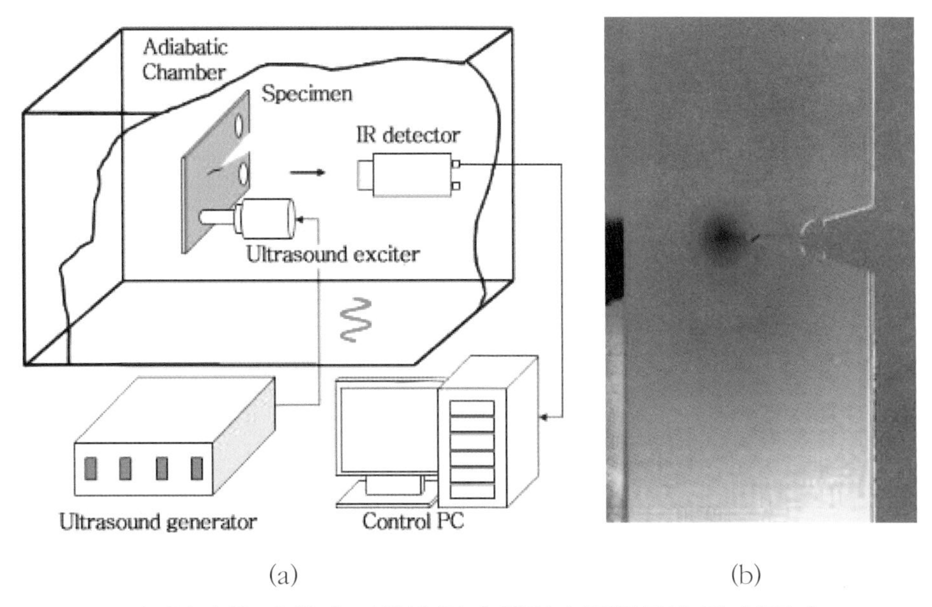

〔그림 4.8〕 초음파 열화상 검사 방법 (a)장치구성 및 (b)결과

초음파 적외선 열화상 기술에서 초음파 가진장치로 100 ~ 1000W 이상의 출력을 갖는 20 ~ 30 kHz 대역의 단일 주파수를 사용하고 있다. 최근에는 검출능력 개선을 위해 다중주파수(multi-frequencies)를 사용하기도 한다.[7], 실제로 단일 주파수만을 고려하여 발열 메커니즘을 분석하였을 때, 물체에 입사된 고출력의 초음파는 균열부에서 [그림 4.9]와 같이 3개의 모드형태로 나타나는 것으로 예측할 수 있다.

이를 발열 메커니즘 측면에서 살펴보면, 모드 I는 개구형 모드로서 균열 첨단부에서 응력집중이 발생하고 발열은 열-기계 연성효과가 주요한 원인이라 예측할 수 있다. 또한, 모드 II (면내 전단형)와 모드 III(면외 전단형)은 균열 첨단부에서 응력집중 보다는 계면 사이의 마찰이 주요한 원인이라 가정할 수 있다.

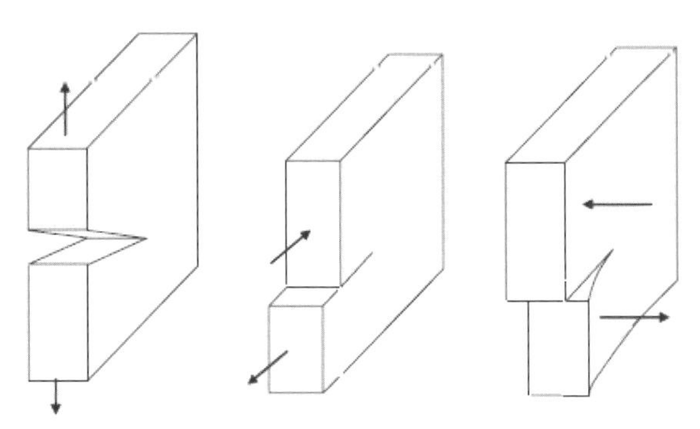

[그림 4.9] 균열의 진동 모드 I, II, III

두 가지의 발열 메커니즘을 바탕으로 초음파 가진에 의한 균열부에서 온도변화를 식(4.5)와 같이 세울 수 있다. 여기에서 외부 열교환과 전도와 대류에 의한 손실을 무시하였다.

$$\Delta T = T_M + T_F \quad \text{(식 4.5)}$$

여기에서, ΔT는 균열부의 온도변화, T_M은 열-기계 연성효과에 의한 온도변화, T_F는 마찰에 의한 온도변화이다. 열-기계 연성효과에 의한 온도변화(T_M)은 다시탄성영역 내에서 온도변화(T_E)와 소성영역에서 온도변화(T_P)로 나누어 식(4.6)과 같이 쓸 수 있다.

$$T_M = T_E + T_P \quad \text{(식 4.6)}$$

소성영역의 온도변화는 발열효과가 거의 영향을 미치지 못하고 열탄성 효과로 알려져 있는 탄성영역 내에서 온도변화 (T_E)는 식(4.7)로 알려져 있다. 여기에서, K_m은 열확산 계수, T_a는 주변 온도, $\Delta\sigma$는 3축 응력합의 변화이다.

$$T_E = -K_m \cdot T_a \cdot \Delta\sigma \quad \text{(식 4.7)}$$

초음파 가진에 의한 발열은 응력변화($\Delta\sigma$)가 조화함수의 가진 형태 ($\Delta\sigma\cos\omega t$)된다면, 식(4.8)과 같이 가역과정으로 나타낼 수 있다. 여기에서 τ는 초음파 가진 시간이다.

$$T_E = -K_m \cdot T_a \cdot \int_0^{\tau} \Delta\sigma\cos\omega t\,dt \quad \text{(식 4.8)}$$

그러나 실제 재료에서는 감쇠계수로 인하여 응력-변형률 관계에서 히스테리시스가 나타나며, 누적된 변형에너지가 열에너지로 변환되는 비가역 과정이므로 식(4.9)와 같이 쓸 수 있다. 여기에서 η는 에너지 변환 효율, f는 초음파 주파수, E는 탄성계수, ε은 변형률이다.

$$T_E = -K_m \cdot T_a \cdot \int_0^{\tau} f \cdot \eta \cdot \left(\int_{\epsilon_1}^{\epsilon_2} E\,d\epsilon - \int_{\epsilon_2}^{\epsilon_1} E\,d\epsilon \right) dt \quad \text{(식 4.9)}$$

또한 변형에너지 누적량이 탄성계수와 변형률 사이의 위상지연이 최대라고 가정하면 $\int_{\epsilon_1}^{\epsilon_2} Ed\epsilon - \int_{\epsilon_2}^{\epsilon_1} Ed\epsilon = E\epsilon^2$ 이라 할 수 있다. 따라서 식(4.9)는 식(4.10)으로 재정리할 수 있다.

$$T_E = -\eta \cdot K_m \cdot T_a \cdot \int_0^{\tau} E \cdot \epsilon(t)^2 dt \quad \text{(식 4.10)}$$

응력집중계수를 고려한다 할지라도 열탄성효과에 의한 온도변화는 무시할 정도로 작다는 것을 알 수 있다. 결과적으로 식(4.6)의 열-기계 연성효과는 결합부에서 발열에 기여하지 못하는 것으로 판단할 수 있다.

결함에서 발열이 열 - 기계 연성효과가 기여하지 못하고 계면 사이의 마찰이 주요한 원인으로 보았을 때, 상대운동을 하는 계면 사이의 마찰에 의한 순간 최대 온도변화는 식(4.11)과 같이 나타낼 수 있다.

$$T_F = \frac{C\mu p \left| \sqrt{v_r} \right|}{\sqrt{b}\sqrt{k\rho c_p}} \quad \text{(식 4.11)}$$

여기에서 C는 마찰면의 형상계수, μ는 마찰계수, p는 단위길이 당 접촉력(N/m), v_r는 상대속도, b는 접촉길이, k는 열전도계수, ρ는 밀도, C_p는 정압 비열이다.

식(4.11)은 1회 마찰에 따른 온도변화를 나타낸 방정식으로 초음파 가진의 경우에는 반복회수, $n = (f \cdot \tau)$를 고려하여야 할 것이다. 두 계면사이에서, 초음파발진자의 최대 진폭을 a라 할 때, 상대속도는 식(4.12)와 같이 쓸 수 있다.

$$v_r = a \cdot 2\pi \cdot f \quad \text{(식 4.12)}$$

또한, 단위길이 당 접촉력(선접촉력), p는 [그림 4.8]과 같이 결함면의 수직으로 작용하는 초기 선접촉력, p_0와 초음파 가진에 의해 조화함수 형태로 변하는 선접촉력, Δp가 작용하는 것으로 볼 수 있으며, 식(4.13)과 같이 쓸 수 있다.

$$p = p_0 + \Delta p cos\omega t \quad \text{(식 4.13)}$$

여기에서 $\triangle p$의 방향은 균열 계면과 수직방향이므로 실질적으로 선접촉력으로서 100% 기여를 하지 못하고 입사된 초음파의 일부만이 선접촉력으로서 기여하게 된다.

$\triangle p$의 성분 중 온도변화에 기여할 수 있는 접촉력 성분(p_0와 같은 방향)만을 $\triangle p_e$라고 하면, 가진시간과 반복회수를 고려하여 식(4.14)를 얻을 수 있다.

$$T_F = \frac{C\mu p|\sqrt{v_r}|}{\sqrt{b}\sqrt{k\rho c_p}} \cdot \int_0^{\tau} p_0 + \triangle p_e \cos\omega t dt \quad \cdots\cdots\cdots\cdots(식\ 4.14)$$

n은 실험에서 최대온도까지 걸린 시간과 주파수의 곱이며, C는 상수이며, v_r는 초음파 발진자의 진폭을 속도로 환산하여 나타내며, b는 결함의 길이를 k, ρ, c_p는 시험편의 물성치를 나타낸다.

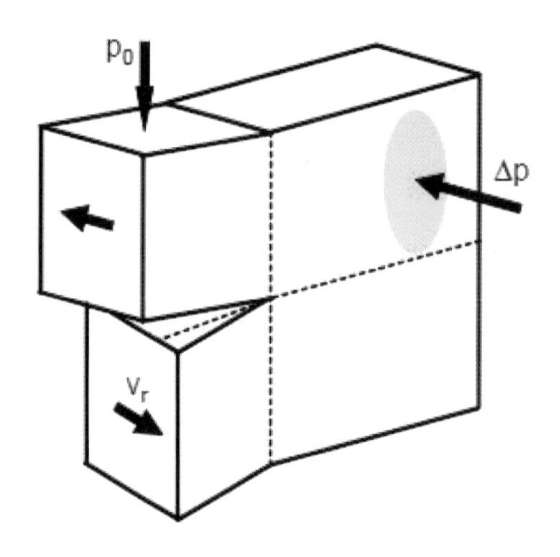

[그림 4.10] 접촉압력의 개략도

위와 같은 공식에 의하면 대부분의 피로 균열에서의 발열이 마찰효과에 의존함을 알 수 있다.

4.2.5 와전류 적외선 열화상 방법 (Eddy current infrared thermography)

와전류 열화상 검사는 혁신적인 기술로 기존의 와전류 열화상 검사와는 약간 다른 검출 성향을 보인다.

둘의 공통점은 와전류를 이용하는 점에서는 에너지 소스가 같지만 기존의 와전류 탐상의 경우 금속 등의 시험체에 유도 코일을 가까이 가져가면 도체의 내부에는 와전류라는 교류전류가 발생하며, 이 와전류는 결함이나 재질 등의 영향에 의하여 그 크기와 분포가 변화량을 측정한 와전류가 검사체 표면 근방의 균열 등의 불연속에 의하여 임피던스가 변화하는 것을 관찰함으로써 검사체에 존재 하는 결함을 찾아내는 검사 방법이다.

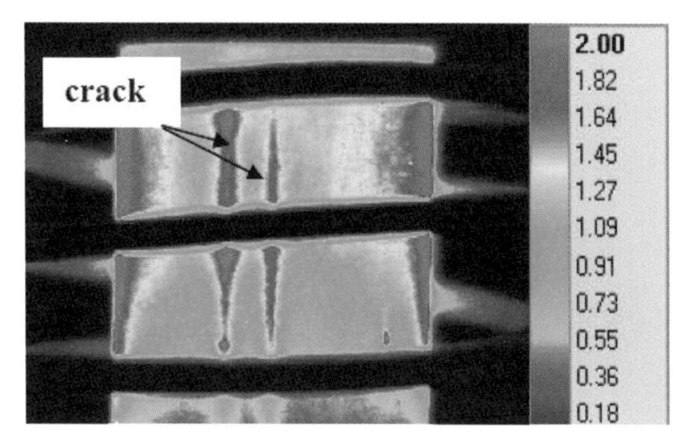

[그림 4.11] 유도가열에 의한 열화상 검출

이와 달리 와전류 열화상 검사는 검사 재질에 높은 주파수의 유도코일을 접근시켜 와전류를 발생시키면 금속재질에서 열이 발생하게 되는데 이때 균일한 검사재질의 밀도와 달리 결함부분에서는 밀도차이로 인하여 국부적으로 높은 온도의 열이 발생하게 된다. 이때 열화상 카메라를 이용하여 검사체 전체를 관찰하게 되고 그때 결함에 의한 발열 부위를 신속하게 검출[illegible]는 방법이다.

특히 [illegible]-적외선에서 널리 활용되는 lock-in 기법을 와전류 적외선 열화상에도 응용하여 결함 검출[illegible] 정밀도를 높일 수 있게 되었다. [그림 4.11]은 와전류를 이용한 유도가열시 검사체의 열화상을 보여주고 있다.

4.3 외부 에너지 제어방법에 따른 분류

에너지 제어 방법으로 기본적인 펄스(Pulse) 적외선열화상 방법 그리고 Lock-in 적외선열화상 및 Pulse-phase 적외선 열화상 방법이 있다.

4.3.1 펄스 적외선 열화상(Pulse Thermography (PT))

가장 기본적인 에너지 제어 방법으로 램프나 초음파 가진기 등을 활용한다. 외선 열영상에 있어서 가장 보편적인 열자극 방법 중 하나로 짧은 열자극 펄스에 의한 시험의 신속성 때문이며 신속한 열자극은 재료의 손상을 방지한다.

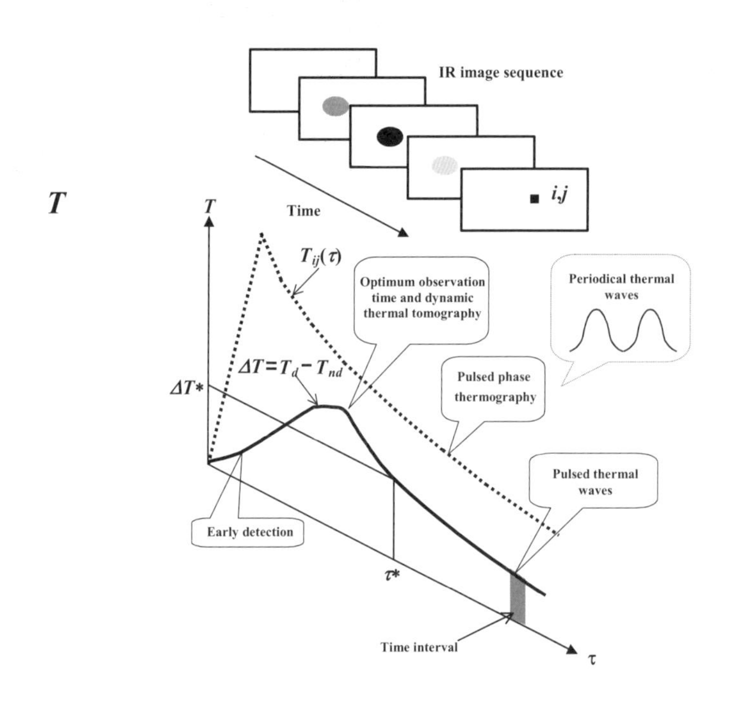

〔그림 4.12〕 Basic temperature functions in PT and PPT

광원을 이용할 경우 매우 짧은 시간 제논(Xnon) 램프 등을 통해 20 kJ 정도의 열원을 신호발생기(Function Generator)를 이용하여 Pulse 신호로 가열하는 방법이다. 이러한 방법은 일정한 시간동안 균일한 가열 온도가 입사되어야 하며, 입사시간에 따른 결과값을 실시간으로 확인하여야 하는 어려움이 있으며 이를 저장할 경우에도 검출 민감도가 떨어지는 편이다.

또한 높은 온도로 표면 검사를 제어하기에는 적외선램프가 제한적인 점이어서 이러한 펄스 적외선 열화상은 대체로 검출민감도가 떨어지지만 열확산 속도가 빠른 금속재질의 검사 시에 실시간으로 결함 검사 유무를 확일 할 수 있어 검사체의 유지보수에 활용되고 있다.

선호되는 이유는 높은 열전도도의 금속 시험에 대해서는 약 3 ms정도, 플라스틱과 흑연이 적층된 낮은 열전도의 시편에 대해서는 약 4 ms의 기간을 가지고 짧은 열자극 펄스에 의한 시험의 신속성 때문이다.

펄스 열영상은 간략한 가열 시편으로 구성되어있고 온도 감쇠 곡선을 기록한다. 경험적으로 가장 작은 탐지 가능한 불연속의 반경은 표면 하부에서 그것의 깊이보다 적어도 1 ~ 2배 크다. 이것은 균질한 등방성 물질에만 유효하다.

4.3.2 펄스 페이즈 적외선 열화상 (Pulse Phase Thermography (PPT))

PPT가 펄스 적외선 열화상(PT)와 다른 점은 펄스 적외선 열화상(PT)보다 검사체에 더 오랜 시간 에너지를 입사하고 푸리에(Fourier) 변환을 통하여 데이터를 분석한다.

$$Fourier_s = \frac{1}{\sqrt{N}} \sum_{n=1}^{N} T_n e^{2\pi\ j\ (n-1)\ (f-1)/N} = R(f) + jI(f),$$

$$M(f) = \sqrt{R(f)^2 + I(f)^2},$$

$$\Phi(f) = ArcTan[\frac{I(f)}{R(f)}],$$

PPT의 장점은 결함한계 평가 한계를 정의하는 열확산길이 $\mu = \sqrt{\alpha / \pi f}$ 를 조사하는 에너지량에 따라 조정하여 균일한 온도에서 독립적으로 위상을 처리할 수 있어 검출 민감도를 높일 수 있어 PT방법에서 검출이 이러웠던 검사체의 심사가 용이하다.

하지만 모든 주파수에서 에너지가 방출되고 실시간 검출이 불가능해 푸리에 변환을 통한 데이터 분석 시 PT방법에 비하여 시간이 오래 걸리며, 적외선 입사 램프가 제한적이다. 하지만 신호/노이즈(S/N) 비가 PT에 비하여 뛰어나 R&D 분야에서 이러한 제어방법을 사용하고 있다.

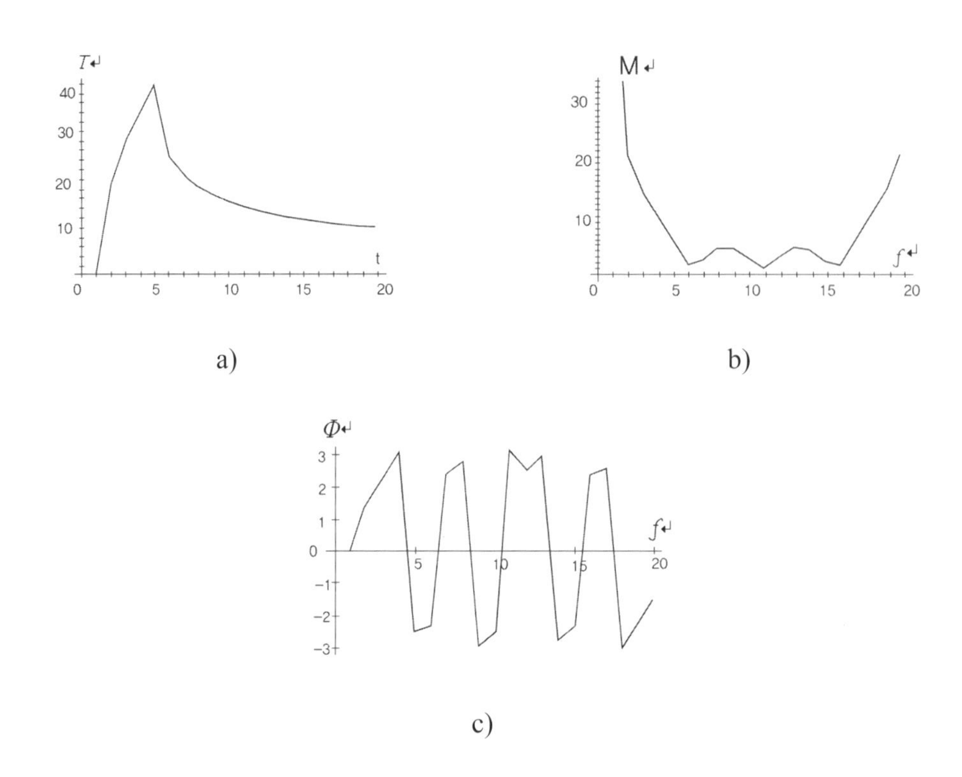

〔그림 4.13〕 Typical surface temperature evolution at Pulse phase thermography (a) Fourier transform parameters, (b) module, (c) phase

4.3.3 위상잠금 적외선 열화상 (Lock-in Pulse Thermography (LIT, LPT))

앞서 대상체를 자극하는 열원을 조화함수로 변조하여 입사하고 이 조화함수에 검출소자를 동기화시켜 조화 함수의 위상변화를 복조하는 것이다. 위상잠금을 사용하여 위상변화를 추출함으로서 낮은 샘플링에서도 표면의 미세한 변화를 감지할 수 있으며, 불균일한 표면 방사율의 영향을 적게 받게 된다.

안정된 상태의 에너지를 입사할 때 각각의 프레임을 축적시켜 S/N 비가 향상되는 방법으로 하나의 주파수 신호에 에너지가 집중되며, 실시간으로 측정이 가능하다.

또한 균일한 가열과 온도로부터 독립된 상태로 위상 측정이 가능하여 초음파, 마이크로웨이브, 광학적 가열에 모두 사용하루 있는 기술로 증폭을 통하여 깊은 침투깊이를 얻을 수 있어 [그림 4.14]과 같이 품질관리, 균열 탐지, R&D와 정비에 사용하는 제어기법이다.

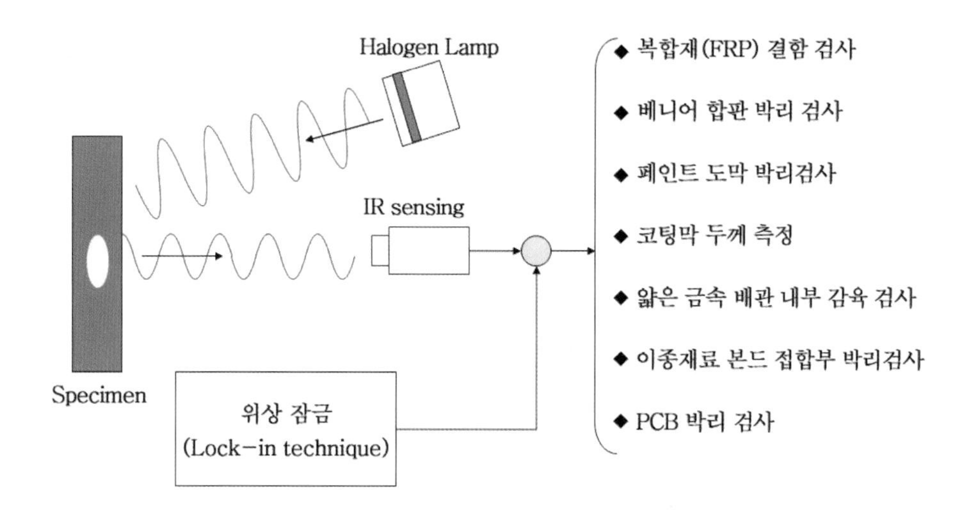

[그림 4.14] 위상 잠금 열화상 검사의 활용

제 5 장 적외선 열화상 탐상의 적용과 실제

5.1 구조물 결함 검사

5.1.1 강구조물 결함 검사

산업의 발달은 철의 발달 함께 진행되어 왔으며 대부분의 산업시설은 강구조물로 제작되어왔으며 현재도 널리 사용되고 있다. 이러한 강구조물의 경우 필연적으로 각각의 강을 조합하여 구조물로 사용하기 위하여 체결이 필요하게 된다.

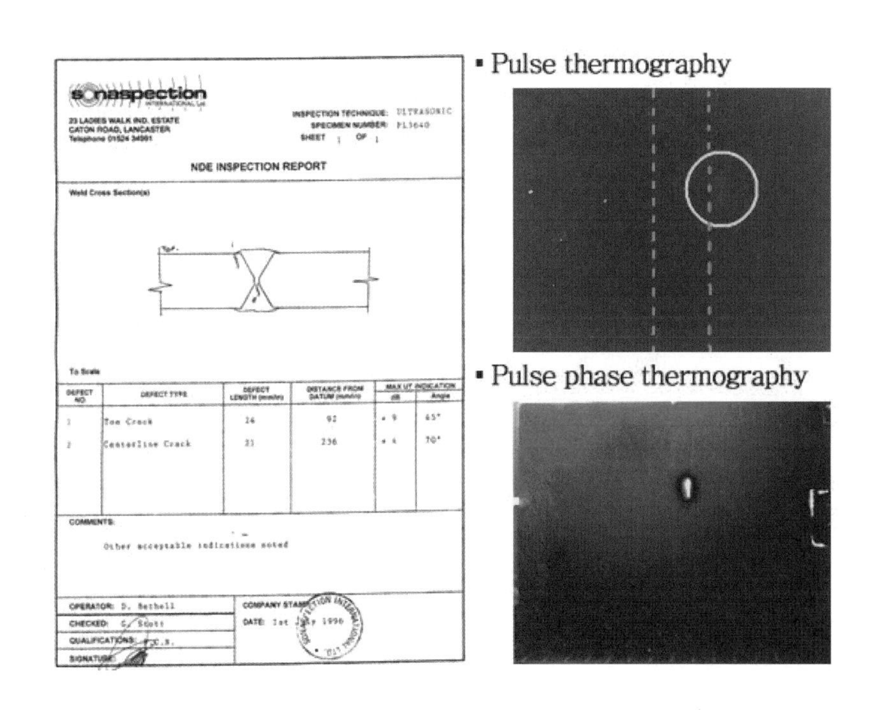
sonaspection INTERNATIONAL Ltd
23 LADIES WALK IND. ESTATE
CATON ROAD, LANCASTER
Telephone 01524 34591

INSPECTION TECHNIQUE: ULTRASONIC
SPECIMEN NUMBER: PL3640
SHEET 1 OF 1

NDE INSPECTION REPORT

Weld Cross Section(s)

To Scale

DEFECT NO	DEFECT TYPE	DEFECT LENGTH (mm/in)	DISTANCE FROM DATUM (mm/in)	MAX UT INDICATION dB	Angle
1	Toe Crack	26	92	+ 9	65°
2	Centerline Crack	31	236	+ 6	70°

COMMENTS:
Other acceptable indications noted

OPERATOR: D. Bethell
CHECKED: G. Scott
QUALIFICATIONS:
SIGNATURE:
COMPANY STAMP
DATE: 1st July 1996

[그림 5.1] 초음파 열화상을 이용한 탄소강 용접부의 결함 검출

이러한 체결 방법으로 오랫동안 신뢰성 있게 사용되어온 기술은 다름 아닌 용접이라 하겠다. 고상용접을 제외한 대부분의 용접은 각 모재를 용융시켜 모재간의 원자결합 시키는 가장 확실한 체결방법으로 지금도 산업의 근간이 되고 있다.

하지만 이러한 용접의 특성에 따라 여러 가지 문제들이 발생하는데 그중에서도 용융을 하기위하여 열을 가함에 따라 열응력이 발생하여 좌굴등의 변형이 일어나고 용융과정에서 각각의 원소의 유동에 따라 응고가 이뤄지는 과정에서 [그림 5.1]과 같이 열영향부에서 결함이 발생하기 쉬운 조건이 만들어지는 문제들이 항상 존재하였다.

이와 같은 문제를 제거하기 위하여 용접부의 건전성 평가에는 다양한 비파괴적 검사법이 활용되었는데 대표적인 방법으로 초음파탐상, 와전류, 침투탐상, 방사선 탐상 등의 다양한 비파괴검사를 통하여 그동안 용접부의 건전성평가를 진행하였다. 하지만 갈수록 강구조물은 크기의 조대화, 다양한 모양, 새로운 소재 등 다양하고 복잡하게 발달하는 과정에서 여러 가지 비파괴 검사의 제약이 따르게 되었다.

이러한 문제점를 보완하고 대체하는 방법으로 적외선 열화상 비파괴검사를 활용하게 되었다. 적외선 열화상 비파괴 검사를 통하여 용접과정에서의 결함유무를 판별하고, 이미 제작된 용접부를 점검하는 등의 연구가 활발히 진행되고 있다.

용접작업의 경우 고온에서 이뤄지는 작업이고 고온용 필터를 적외선 카메라에 장착한 후 온도 보정을 통한 후 검사공정에 활용하게 된다. 용접과정의 결함 유무를 판단하기 위하여 두가지 범위의 필터를 활용 하게 되는데 첫 번째는 용접 후 시편의 열화부분 온도를 측정하기 위해서는 300 ~ 1,000 ℃ 범위내에서 활용 가능한 필터가 활용되며 용접중에 용접 비드의 온도분포를 촬영하기 위해서는 500 ~ 2,000 ℃ 범위내의 필터가 활용된다.

실제 MAG 용접기를 이용한 CO_2용접의 경우 적외선 열화상 카메라를 이용한 측정한 결과를 보면 용접 최고 온도는 1,440 ℃ 정도였으며, 그 온도는 용접 와이어 뒷부분에서는 약 1,188 ℃ 정도의 온도임을 확인 할 수 있었으나 용접 열화부분이 너무 빨리 열전도가 이루어져 용접 작업중에 용접 결함을 찾는다는 것은 대단히 어려운 일이므로 용접 작업이 끝난 직후 적외선 열화상 카메라를 이용해 온도가 상대적으로 낮은 부분을 찾아 결함을 파악해 내는 방법을 연구하고 있다.

용접부의 적외선 열화상 검사는 레이저 용접에도 이용되어 CW Nd:YAG 레이저 용접시 세 가지 공정변수(레이저빔의 출력, 레이저빔 이송속도, 초점거리)를 변화시켰을 때, plume의 양 또한 일정한 변화를 나타나고, 출력과 이송속도의 증가에 따라서 plume의 양이 증가하는 등의 자료를 얻는데 활용하고 있다. 적외선 열화상 방법을 통한 용접결함의 연구결과 용접결함의 경우 결함의 깊이에 따른 변화는 결함이 표면과 가까워질 수 록 온도차가 적어짐을 파악할 수 있었는데, 이는 금속의 두께와 열전도율의 상관관계에 따라 열전도율이 클수록 열이 통과하는 재질의 두께가 작을 수 록 온도 차이는 적다는 것을 알 수 있다.

이러한 용접공정에서 뿐만 아니라 현재 구조물의 건전성 평가에 활용 가능한 정량화된 적외선 열화상을 통하여 결함의 형상과 위치의 추측이 가능하다. 이렇듯 용접부 검사의 경우 정량화된 검사 결과를 위하여 active method 방법을 활용하여 더욱 정밀한 검사를 진행하게 된다.

5.1.2 배관 구조물 결함 검사

강구조물 중에도 용접이나 나사체결 등을 통하여 하나의 구조물을 형성하는 배관구조물의 경우 배관 내부에 여러 가지 성분(화학물질, 고온, 저온, 가스 등)의 유체들이 고압 이동하는 경우가 많아 안전 관리가 더욱 필요하다.

현재 배관에 활용되는 적외선 열화상 검사의 경우 대부분 Passive method로 에너지를 포함하고 있는 유체의 흐름을 관찰하여 배관 내부의 유동관찰이나 감육 등에 의해 이상이 발생한 부분의 온도차를 확인하여 미리 예방점검을 할 수 있는데 활용하고 있다.

특히 배관의 체결에 각각의 목적에 부합하기 위한 다른 종류의 재질을 용접한 이종용접부가 많이 활용되는 원자력발전소의 경우 배관의 사고는 방사성물질의 피폭과 발전중단에 따른 피해가 막대함으로 이를 예방하기 위하여 초음파 적외선열화상 검사방법등의 다양한 검사기법의 활용을 추진하고 있으며 on-line을 통한 발전, 플렌트의 상시 진단으로 적외선 열화상 검사방법은 그 활용도가 높아지고 있다.

5.2 복합재료 결함 검사

복합재료(Composite)란 기존의 구조물 재료로 많이 사용되어온 금속합금과는 달리 두 종류 이상의 구성 소재가 각각의 거시적인 특성을 유지하면서 우수한 물성을 서로 보완적으로 이루도록 인위적으로 만들어진 소재로 정의할 수 있다.

이러한 복합재를 활용하여 질량은 가벼우면서도 그 강도는 금속에 뒤처지지 않는 대형구조물을 제작하여 사용하고 있다. 현재 사용범위가 급격이 늘어가는 복합재료와 복합재 구조물에 이용되는 기존의 비파괴 검사 방법은 정확한 진단이 힘들고 대형 복합재료의 경우 구조물의 방대함에 따른 결함 진단시간의 장기화에 따른 비용적인 문제에 따라 고전적 비파괴 검사 적용의 어려움이 존재한다.

적외선 열화상 진단방법의 적용으로 대형 풍력 터빈 블레이드, 비행체, 기타 산업 구조물 등의 성능과 품질에 결정적인 영향을 미치는 구성요소로서 활용 중인 복합재료의 다양한 결함을 측정하기 위해 접촉할 필요가 없는 적외선 열화상 진단기술의 활용은 거시적인 정보뿐만 아니라 가시적인 정보를 확보할 수 있으며 이로 인한 결함부위의 구체적인 진단을 평가할 수 있는 장점이 있다.

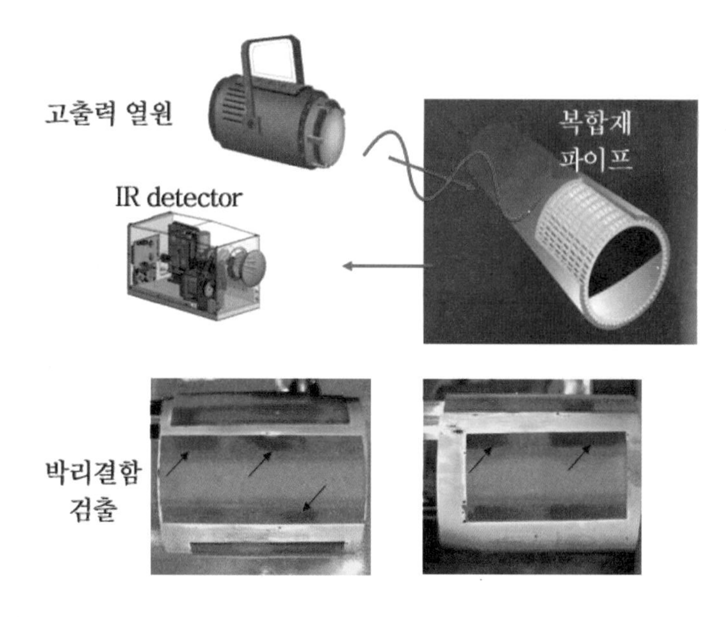

[그림 5.2] 광-적외선 열화상 기법을 이용한 복합재 파이프의 결함 검출

이러한 복합재료는 제조하는 공정이나 조합하는 동안 혹은 유지하는 동안에 [그림 5.2]에서처럼 박리, 기공, 주름 등의 형태의 내부결함이 발생한다.

특히, 항공기 주구조물(예: 여압동체)에 내재된 기공의 경우 항공기 운항 중 복합재료 구조물에 치명적인 손상을 발생시킬 수 있는 결함 발생원으로 작용할 수 있기 때문에, 이에 대한 적극적인 검사기술 개발이 요구되고 있으며, 기공을 포함하는 표준 결함 시험편의 제작을 위하여 원소재와 성형공정에 대한 충분한 이해와 공정설계를 포함하는 종합적인 기반 기술들이 필요하다.

복합재료의 건전성을 검사하는 방법으로 산업 현장에서 주로 사용하는 방식인 초음파 탐상방식을 이용한 C-scan 의 경우 넓은 범위의 검사체에서 사용이 어렵고 X-선 방사 graphy 등의 기술은 방사능 에너지의 피폭 등의 위험이 존재하는 등의 문제로 인하여 구조용 복합재료의 결함 위치와 크기를 측정하기가 용이하지 못하다.

이 경우에 적외선 열화상 진단법을 이용하면 열에 관련된 각 재질별 열팽창 계수에 관계없이 초음파 열화상 검사방법을 이용할 경우 결함부의 마찰열에 의해서 발생되는 열을 적외선 열화상 카메라를 통해 정확한 결함부의 위치와 결함 진행 정도를 실시간으로 효율적인 검출이 가능하다. 실제 유리섬유강화 플라스틱 (glass fiber reinforced plastics;GFRP)의 적외선 열화상을 이용한 인장시험을 통해 복합재료의 파괴도 재료내의 결함에서 시작되며 이러한 결함은 깨진 섬유, 모재내의 흠 및 박리된 계면 등이 될 수가 있다.

이와 같은 파괴가 시작되면, 균열의 전파가 일어 나게 된다. 섬유강화 복합재료의 의 인장시험 시 온도분포와 크랙이 진전 될 때의 온도분포는 최대응력 지점부터 온도가 뚜렷이 상승하며, 파단시간이 짧은 시편은 최대응력지점에서 급격한 온도상승을, 파단시간이 긴 시험편들은 최대응력 지점부터 온도상승이 시작된다.

이러한 GFRP은 제작시 섬유배향상태에 따라 이방성으로 진행 될수록 파단시간이 길어지고, 파단시간이 길어질수록 최고온도가 낮아지는 등의 결과를 적외선열화상 검사방법을 통하여 비교적 정확하게 파악할 수 있다.

현재 산업현장에서 활용중인 대표적인 복합재료는 CFRP(Carbon fiber reinforced plastic), GFRP(grass fiber reinforced plastic), Aramid, 섬유강화금속(FRM;fiber reinforced metal)등이 널리 사용되고 있으며 이러한 재료를 이용하여 우주항공, 자동차, 철도, 건축구조물 및 풍력발전 블레이드 등 여러 응용분야에서 사용이 점차 확대됨에 따라 적외선열화상 비파괴 검사 방법도 더욱 널리 활용될 것이다.

5.3 적외선 열화상 응력측정 기술

적외선 열화상 검사 방법을 이용한 응력측정은 능동형 검사기법 중 하나로 대상물 표면에 발생하는 열변화량을 적외선 열화상 카메라로 측정하여, 열탄성효과(Thermoelastic effect)의 원리로부터 응력치로 환산해 주응력의 분포를 2차원으로 화상화 할 수 있다.

즉, 하중을 받는 물체는 변형과 함께 일부의 에너지를 적외선(열)에너지로 방사하고, 방사된 적외선은 이에 상응하는 응력으로 환산 가능하다는 이론적인 내용을 토대로 비파괴적으로 응력을 측정하는 기술이다.

최근에는 물체에 조화함수로 반복하중을 인가하고 이와 동기화된 고분해능 적외선 열화상 카메라로 하중변화에 따른 물체의 온도변화를 측정하여 누적 평균함으로서 물체에 작용되고 있는 응력 분포를 계측하는 기술인 위상잠금 적외선 열화상기술(Lock-in infrared thermography)을 활용하여 구조물 응력해석분야에 많은 활용을 하고 있다.

동적거동을 하는 구조물에서 응력분포 해석은 기존 스트레인게이지 기법, 광탄성, 스페클 간섭법 등의 단점 등을 보완할 수 있으며, 현장 적용에서 환경 제약요소들이 적어 산업적 활용이 높은 기술로 평가받고 있다.

이러한 열응력을 검출할 수 있는 요인은 열탄성효과라 하겠다. 열탄성 효과에 대하여 살펴보면 고체 내의 전도 방정식에 대한 열 기계 연성효과 (Thermo-mechanical coupling effect)을 식(5.1)과 같이 쓸 수 있다.

$$\rho c\frac{\partial U}{\partial t}-k\nabla^2 U=R_{tmc}+D+R_e \quad \text{(식 5.1)}$$

여기에서, ρ는 밀도, c는 비열, t는 시간, U는 외부열원, k는 재료의 열전도 계수, R_{tmc}는 열기계효과에 의한 내부발산열, D는 내재분산 에너지(Intrinsic dissipation), R_e는 외부물체와 열교환이다. 하지만 실험은 탄성영역에서 이루어지는 가역 단열 과정으로 외부와의 열교한이 없다는 가정으로 부터 열탄성 방정식은 식(5.2)과 같이 나타낼 수 있다.

$$\rho c\frac{\partial U}{\partial t}=R_{tmc} \quad \text{(식 5.2)}$$

즉 탄성고체의 응력변화와 온도변화의 관계는 식(5.3)으로 표현 될수 있다.

$$R_{tmc} = -\alpha T \Delta\sigma_{1,2,3} - \frac{3E}{1-2\nu}\alpha^2 T \frac{\partial U}{\partial t} \quad \text{······(식 5.3)}$$

여기에서, α는 열팽창계수, T는 절대 온도, E는 탄성계수, ν는 포와송 비, $\Delta\sigma_{1,2,3}$는 물체의 응력 변화이다. 식(5.3)을 식(5.2)와 함께 정리 하면,

$$-\alpha T \Delta\sigma_{1,2,3} = (\rho c + \frac{3E}{1-2\nu}\alpha^2 T)\frac{\partial U}{\partial t} \quad \text{······(식 5.4)}$$

식(5.4)가 되며, 상온에서 $3E\alpha^2 T/\rho c(1-2\nu)$는 무시할 정도로 작은 값이다. 따라서 탄성영역에서 내부응력변화에 따른 온도변화는 식(5.5)로 나타낼 수 있다.

$$\Delta T = -K_m \cdot T \cdot \Delta\sigma_{1,2,3} \quad \text{······(식 5.5)}$$

여기에서, Δ는 물체의 온도변화, $K_m(=\alpha/\rho c)$ 는 열탄성 계수이다. 즉 식(5.5)에서 온도변화를 적외선 열화상카메라를 이용하여 측정함으로서 물체의 응력 변화를 계측할 수 있는 것이다(식 5.5).

이와 같은 원리를 이용하여 검사체의 응력을 측정할 수 있으며 FEM을 통한 이론 응력과 위상잠금 적외선 열화상 기술을 통하여 계측한 열탄성응력의 상대 오차는 대부분 10% 이내 측정되고 있다. 이러한 오차는 검출소자의 공간분해능 한계와 함께 구성 상 시험편의 열적 평형조건을 완전히 만족시키지 못한 결과로, 반복 하중의주기를 빠르게 함으로써 오차를 줄일 수 있다.

위상잠금 적외선 열화상 기술은 현재반복하중을 가해야하며 대상체와 동기화 하여 응력을 측정해야 한다는 제한이 있으나 측정부의 환경적 요인에 의한 제약을 극복하여 넓은 영역의 응력 분포를 실시간으로 측정할 수 있다는 장점이 있어 산업적 활용으로 확대가 기대된다.

적외선 열화상 기술은 비접촉이면서도 검사대상체의 형상조건과 무관하게 대상체의 응력을 측정할 수 있으므로 형상 조건에 의해 오차율이 커지게 되는 소형구조물의 정밀한 응력 분포해석에 활용가치가 높다.

5.4 콘크리트 구조물 결함 검사 및 진단

적외선 열화상을 통한 구조물 진단은 건물, 교량, 발전 설비 등 그 범위가 실로 방대하다. 실제 구조물의 진단은 응력 집중에 의한 크랙이나 파손에 관한 부분과 단열 평가로 크게 그 범위를 나 눌 수 있다.

적외선 열화상 검사법은 다른 검사법에는 없는 아래와 같은 특징을 가지고 있으므로, 토목 · 건축 구조물의 검사에 특히 유용성이 높다.

(1) 비접촉에 의한 원격으로 결함 검사가 가능하므로 검사를 위한 발판이 불필요
(2) 단시간에 광범위한 검사가 가능한 효율 높은 검사방법이다.
(3) 결함의 위치 및 형상을 온도 분포 화상으로부터 시각적으로 동정할 수 있다.
(4) 적당한 광학계를 선택함으로써 큰 검사 대상에 적용 가능

토목 · 건축 구조물의 박리 결함 검출에 있어서는 피측정물에 발생한 면외방향의 열이동이 박리 부위의 단열성에 의해 방해를 받음으로써 피측정물 표면에 나타나는 온도장 변화가 검출된다. 피측정물에 면외 방향의 열이동을 발생시키는 방법으로는 주간 일조 및 야간 냉각을 이용하는 방법이 자주 사용된다. 구조물에 발생하는 자연스러운 열이동을 이용하므로 수동형 적외선 열화상법이라 불리운다.

이에 대하여, 구조물에 강제로 열부하를 주는 방법이 있는데, 능동형 적외선 열화상법이라 불리운다. 열부하 방법으로는 넓은 면적을 균일하게 가열 및 냉각하는 것이 필요하며, 가열방법으로는 석유 연소 히터나 램프 히터, 냉각 방법으로는 시험체 표면에 물이나 알코올 또는 액체 질소를 살포함에 따른 기화열을 이용하는 방법이 검토되고 있다.

[그림 5.3] 구조물 열화상 검출 이미지

현재 건축현장에서 가장 보편적으로 활용되는 검사방법은 [그림 5.3]과 같이 구조물의 안전진단 및 방열 평가에 활용되고 있다. 실제로 에너지 효율을 고려한 건축물의 설계가 늘어남에 따라 열 손실을 최대한 억제시키며 시공뿐만이 아닌 완공된 후에도 에너지 손실을 줄일 수 있는 방법을 찾는데 적외선 열화상이 이용되고 있다.

또한 건축물의 단열은 건축물 설계시와 단열 성능이 상이한 결과를 보여는 경우가 많은데 이는 시공불량, 열화 및 균열 등에 의한 경우가 많다. 건축물의 환경 및 단열성능 개선과 수명증대를 위한 방안으로서 비파괴 방식의 적외선 열화상 분석기법을 이용한 정량적 분석기법으로의 건축물 단열성능 현장 평가법 개발하여 활용하고 있다. 하지만 실제 건축물은 넓은 면적에 걸쳐 다양한 외피부위를 갖고 있음에 따라 건물 전체 외피의 열유동을 직접 접촉식 측정에 제약이 있다.

따라서, 비접촉식으로 넓은 부위의 표면온도를 측정할 수 있는 적외선 열화상 카메라를 이용한 현장 단열성 평가방안으로 정상부위에 대한 결함부위의 상대온도비(TDR; Temperature Difference Ratio)를 이용한 평가방안이 활용되고 있으며 이러한 적외선 열화상을 이용한 건축물 단열성능 평가기법은 비파괴적인 검사방식이기에 현장 단열성능 평가기법으로 활용도는 매우 높아 IR시스템 관련업체 및 ESCO기업, 리모델링 전문업체, 에너지성능 진단, 결로 예측 등 노후 건축물의 단열 개/보수 촉진에 의한 국가 에너지 절감에 기여할 뿐 아니라 건축물 에너지 성능 인증제도의 단열성능 평가법으로 활용가능하다.

건축물에 활용뿐만이 아닌 건설 토목 등에도 열화상 장비가 이용되고 있는데 대표적인 기술이 터널 내부의 크랙을 검출할 수 있는 터널 스캔과 댐의 유지 보수에 활용되는 원거리 크랙검사 기술이다. 이러한 기술은 실제 우리가 접할 수 있는 공공시설물 들로 그 안정성을 꾸준히 유지하기 위한 방법으로 적외선열화상 방법은 많은 장점이 있다.

이와 별도로 대형 구조물의 응력집중이 발생하는 부분을 감시하여 그 변형과 파괴를 예측하는 부분에도 널리 활용되고 있다.

5.5 회전체 결함 검사 및 상태진단(condition monitoring)

적외선 열화상 검사기법을 활용한 회전체 진단은 현재 자동차 타이어 검사, 자동차 브레이크 디스크 검사, 유원시설 궤도차량의 바퀴진단, 회전체 기계구조물의 베어링 열화 검사 등 그 범위는 다양하다. 특히 고속으로 회전하는 회전체의 경우 마찰에 의한 과도한 열이 발생하게 되고 열화된 부품이 파손되는 경우가 발생하나 이에 대한 검출방법이 마땅하지 않는 상태이다.

기존의 회전체 진단은 파손이 일어나지 않는 범위의 요구 조건에 해당하는 부품의 수명 예측에 관한 검사에 국한되었다면 적외선 열화상을 이용할 경우 [그림 5.4]와 같이 놀이 시설회전체를 검사할 때 나타나는 전체적인 열적거동을 파악할 수 있고 이를 시각화 하여 회전체 결함의 판별 유무를 쉽게 파악할 수 있는 장점이 있다.

이러한 기술은 특히 대형 회전 구조물에 효과적으로 활용이 가능하여 풍력 발전기의 구조물의 진단에 활용되고 있다. 풍력 발전기의 블레이드는 그 크기가 수 백 미터에 달할 정도로 크기가 커서 블레이드와 로터를 기존의 비파괴 검사법을 활용할 경우 막대한 비용과 시간이 소요되나 적외선 열화상을 이용한 비파괴 검사는 원거리에서 구조물의 진단이 가능하여 선진국에서도 풍력 블레이드 및 로터의 결함 검출에 사용되고 있다.

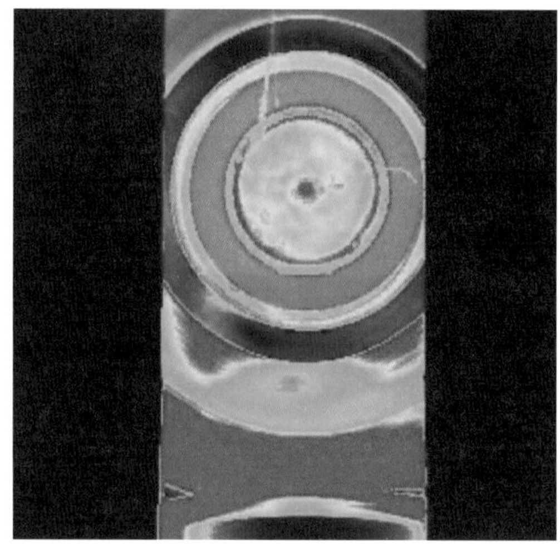

[그림 5.4] 유원시설 고속열차 놀이 기구의 차륜 열화상 비파괴 검사

5.6 전력설비 진단

5.6.1 전력설비 열화요인

나날이 전력수요량은 증가하고 있지만 전력공급을 크게 증가시키는 것은 매우 어렵다. 오늘날은 얼마만큼 전역 공급을 차질 없이 공급하는 것에 대한 중요도는 더더욱 높아지고 있다.

이 때문에 실제로 전력부하가 걸린 상태에서 진단을 일상적으로 반복하는 일이 매우 중요하지만 어려운 일이었다. 이를 위해, 전력설비의 사고를 미연에 방지하는 것보다 한 단계 정도가 높은 진단기술로 전력부하가 행하여지는 설비 진단에 적외선 열화상 장비의 사용이 활용되고 있다.

현재 전력설비의 문제는 여러 가지 요인에 의한 열화현상으로 나타나는데 이러한 전력설비의 문제를 일으키는 열화 발생 요인은 다음과 같다.

① 열적 요인

과부하, 단락, 고주파 진입, 히트 사이클 (팽창수축, 변형, 비틀림, 탄성저하)등으로 나타남

② 전기적 요인

외뢰, 내뢰에 의한 서지전압과 과전압 (부분방전)으로 나타납니다.

과전류 개폐 (아크용 손과 소모) 등으로 나타납니다.

③ 환경적 요인

먼지, 오손, 염분부착, 습기, 고온, 부식성, 자외선(표면절연불량), 그리스 경화(활동불량), 금속부식(접촉불량, 파손), 절연물 변질(트래핑) 등이 발생

④ 기계적 요인

동작의 반복, 외부응력, 진동, 충격, 과전류, 단락(피로, 균열파손, 마멸, 변형, 접촉불량)등으로 나타난다.

⑤ 화학적 요인

절연저하, 부분 방전(화학 생성물) 등이 발생한다.

[그림 5.5]는 전기 휴즈의 체결강도에 따른 열화상 검출 이미지를 보여주고 있다.

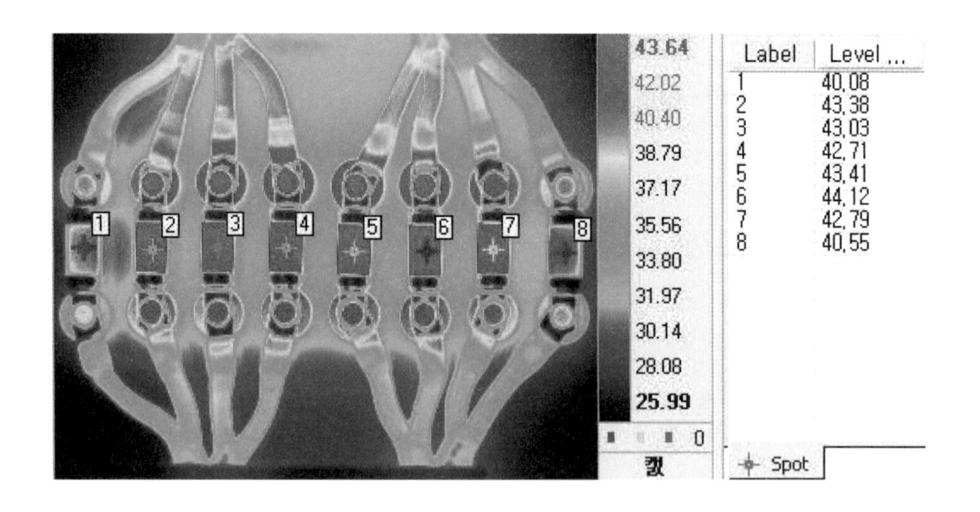

[그림 5.5] 전기 휴즈의 체결 강도에 따른 열화상 검출

5.6.2 전력설비 검사

이전까지는 정밀한 전력설비 점검방법으로 설비를 일시적으로 정지 한 후, 각 기계를 분해, 점검을 행하고 있었지만, 일시적이라고 해도 설비를 정지 하는 것은 한 해에 몇 번밖에는 가능하지 않다.

이러한 전력설비를 진단 수리하는 방법에는 사후보전(설비 또는 부품 파손 시 수리 교환), 예방보전(정밀점검을 일정주기로 실시), 예측보전(장래 일어날 문제점을 예지, 고장 발생 이전에 유지보수 실시)하는 단계가 있는데 앞으로는 인공지능이용, 전기설비 수명예측, On-line 진단이 널리 활용될 전망이다.

적외선 열화상 장치 계측은 접촉하지 않으면서도 매우 간단히 실행되기 때문에, 고정된 부위의 점검을 몇 번이고 반복해 실시하는 일이 가능하고, 설비의 경년 변화를 체크해 그 경향을 관리하는 것이 가능하다. 표 6-1은 전력설비에 활용되고 있는 현황을 보여주고 있다.

앞으로는 전기 설비의 수명예측 및 온라인 진단에 적외선 열화상 장치는 불량개소의 조기 발견과 동시에 설비 이용률의 향상을 도모해 효율적인 보수 정비계획의 입안 등에 활용되어 그 범위가 늘어 날 전망이다.

표 5-1 전력설비에 활용중인 적외선 열화상 기술

	대상물		적용
변전	① 변압기	본체	국부과열검출
		냉각설비	배관 막힘, 능력저하
		펌프류	과열검출
	② 차단기	본체	내부과열
		부싱	내부과열, 크랙
	③ GIS	본체	내부과열
	④ 고체절연 MC	본체	내부과열
	⑤ 단로기	도체	접속불량, 과열검출
	⑥ 모선	도체	접속불량, 과열검출
	⑦ 케이블	외판	내부과열
	⑧ 피뢰기	외관	내부과열
	⑨ 배전판	전기기기	접속불량, 전기누설, 과부하
		배선	접속불량, 전기누설, 과부하
송전, 배전	① 송전선, 배전선	전선	이상과열, 과부하
		슬리브	이상과열, 과부하
		클램프	이상과열, 과부하
	② 주상변압기	본체	이상과열, 과부하
발전	① 굴뚝	표면	라이닝 탐상조사
	② 보일러	증기배관	보온성능, 증기샘 현상
	③ 터빈	배관	보온성능, 증기샘 현상
	④ 온배수	표면	온배수의 분포측정(환경측정)
	⑤ 저탄산	표면	자연발화예지
그 외	① 통신기기	기기	단자접속부의 접속불량
			프린트기반의 열부하
	② 물탱크	표면	누수조사
	③ 건물	외벽	타일, 모르타르 박리조사
	④ 침입자감시		야간 침입자 감시

5.7 전자 부품 및 기판 검사

5.7.1 PCB 검사

전자 부품 및 기판 검사에 적외선열화상을 사용하는 경우, 그 목적은 고장 해석, 열 해석, 품질 관리가 대부분이다. 최근에는 IC를 대표로 하는 일렉트로닉스 마이크로 디바이스 내의 수십 ~ 수백㎛ 미세 부분의 열 해석이나 고장 해석에 사용되는 경우가 많아졌다. 이는 미세 부분이라도 열을 흐트러뜨리지 않고 측정할 수 있는 적외선 서모그래피의 특징(비접촉으로 면 측정)이 주목을 모으고 있기 때문이다.

이러한 경우, 적외선 서모그래피의 공간 해상도는 10㎛ 이하이고 측정 온도는 실온 이상이 필요한데, 이러한 요구에 부응할 수 있는 것은 고감도 및 고해상도의 고성능기기의 대표인 InSb 센서를 사용한 냉각형 적외선 서모그래피이다. InSb 냉각형 적외선 서모그래피에 현미경 렌즈(해상도 10㎛)를 부착함으로써 실현할 수 있다.

일반적인 측정에서는 패시브 방식이 대부분인데, 세라믹 등의 결정 부재의 크랙이나 보이드(공극)의 결함 검출에서는 히터 등의 외부 열원을 이용한 액티브 방식을 사용하는 경우도 많아졌다. 여기서는 이론보다 측정 사례를 많이 소개함으로써 그 실태를 알아보고자 한다.

5.7.2 전자부품의 패시브 측정

표 5-2 패시브 방식과 액티브 방식

방식	내용	특징
패시브 방식	일반적인 온도 측정	표면의 온도 분포
액티브 방식	외부로부터 열을 가하여 측정	내부의 결함이나 표면의 미세 결함을 검출

패시브(수동) 방식은 측정 대상물로부터 자연스럽게 방사되고 있는 적외선 에너지를 검출하는 일반적인 측정방법이다. 전자 부품이나 기판에서는 전류를 흘린 동작 상태에서 측정하는 것이 대부분이므로 주울(Jule) 열로 온도 분포가 가능하므로 그대로 측정하면 된다.

전류를 흘리는 방법이나 전류의 ON/OFF를 궁리하여 고장 위치를 알기 쉽게 하는 방법도 이루어지고 있다. 액티브(능동) 방식은 일반적으로 측정 대상물에는 전혀 열이 가해지지 않아 온도 분포가 없는 경우, 외부로부터 열을 가함으로써 측정 대상물의 표면의 미세 결함(크랙 등)이나 내부 결함(내부 크랙이나 보이드=공극)을 온도 분포로서 부상시켜 검출하는 방법이다.

5.7.3 전자부품의 액티브 측정

표 5-3 액티브 방식에 의한 검출방법의 종류

검출방식	측정원리	액티브 방법과 특징
온도 분포 측정	내부 결함의 영향이 표면 온도 분포로서 나타남	부재의 내부에 열의 흐름을 만듦
투과를 측정	내부 결함이 투과광의 차이로서 나타남	부재의 뒷면쪽에 열원을 두고 투과광을 측정함. 부재를 가열할 필요는 없음
반사를 측정	표면 결함이 반사광의 차이로서 나타남	부재의 표면에 적외선을 조사하여 반사광을 측정함. 부재를 가열할 필요는 없음

액티브 방식에는 표 5-3에 나타낸 바와 같이 3가지의 방법이 고안되어 사용되고 있다. 부재를 가열하여 열의 흐름을 만들어 온도 변화를 검출하는 방법. 부재를 가열할 필요가 없이 부재의 뒤쪽에 열원을 두고 투과광의 세기 분포를 검출하는 방법. 투과광을 이용하는 방법은 적외선 서모그래피의 검출 파장대와 부재의 투과 파장대가 일치할 때에만 제한적으로 이용할 수 있다.

5.8 적외선 열화상 체열 측정 및 진단

5.8.1 적외선열화상 체열 측정 기술

의료용 진단기중 인체의 온도를 감지하여 통증부위와 정상적인 인체부분의 온도차를 열화상으로 출력하여 통증부위를 진단하는 적외선 체열진단기가 현재 의료현장에 보급되고 있다.

즉 적외선 체열진단기는 적외선 열화상 장비를 이용하여 인체에서 방출되는 온도의 비대칭 분포를 이용하여 체열자의 몸의 이상상태를 측정하는 장치로 앞서 말한 커다란 분류에 의하면 Passive method에 속하는 적외선 열화상 진단기술이다. [그림 5.6]과 같이 인체의 온도를 열화상 카메라를 이용하여 계측하는 진단방법이다. 의료용 체열검사가 외국에서는 현재 주로 대사 및 염증성 질환, 내분비계 질환 그리고 대체의학 분야 등에서 주로 활용되고 있는 것과는 달리 국내에서는 최근까지 주로 통증 질환, 근골격계 및 신경계질환 등에서 주로 활용되어 왔다.

국내에서는 최근까지 국내 체열진단 장비의 발전과 여러 분야에서 많은 의료진의 관심과 노력에 힘입어 위와 같은 분야에서의 연구 결과는 매우 우수하며 국제적으로도 많은 관심과 인정을 받고 있다. 주지하다시피, 모든 물체는 온도를 가지고 있으며, 그 온도는 적외선의 형태로 발산을 하게 된다. 즉 사람은 36.5℃이며, 이에 해당하는 적외선 파장대역을 밖으로 발산하게 된다. 이 적외선은 적외선 검출소자에 의해 검출이 가능하다. 이러한 기능을 하는 것이 적외선 열화상 카메라를 통하여 가능하다.

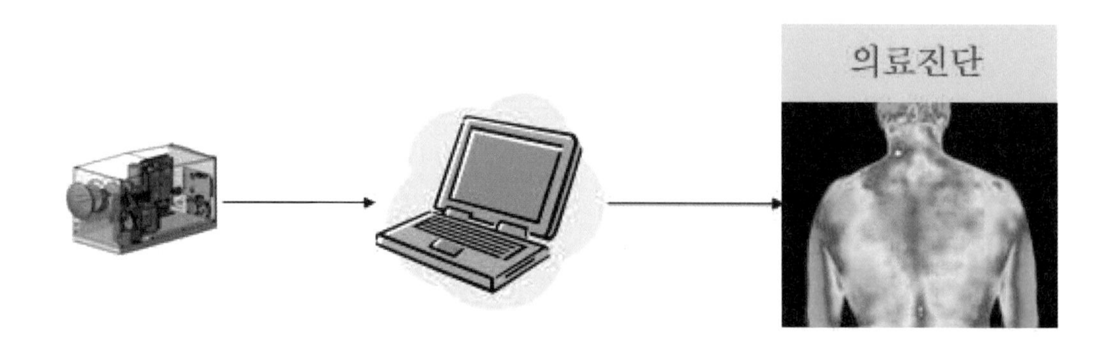

[그림 5.6] 체열측정

그런데 종래의 접촉식 열화상 진단기나 현재의 비접촉식 열화상 진단기의 경우 주변 환경 변수의 변화에 따른 체열자의 온도 변화를 고려하지 않는 오류를 범해왔다. 체열자가 정확한 검사를 위해서는 온도안정화단계로 환자복을 입은 상태로 30분 이상을 대기하여야 하고 뿐만 아니라 체열자와 적외선 카메라의 주변의 환경변화(온도, 습도, 대류, 주변물체 방사율 등)는 체열측정결과에 영향을 주게 되었지만 현재까지는 이러한 인자를 고려하지 않고, 체열자의 체온분포를 측정하는 오류를 범해왔다. 이에 따라 측정결과의 신뢰성이 떨어지는 문제점이 있었다.

이러한 문제를 해결하기 위하여 환자의 피부 온도를 비접촉식으로 측정하고, 체온의 좌우 대칭의 비교를 정확하게 하여 환자의 환부에 대한 진단 방법의 정확성을 향상시키기 위하여 적외선 체열진단용 챔버안에 환자가 챔버내에 적응할 수 있는 에어샤워시설을 구비함으로써 에어샤워를 통해 온도 안정화 시간을 최소화하고 있다. 체열자는 일정의 온도를 내는 일종의 발열체라고 할 수 있다. 식(5.6)은 적외선 체열 진단기가 주변과 인체에서 온도를 측정하는 수식을 나타낸다.

$$R_{total} = \varepsilon_e \sigma T_e^4 + (1-\varepsilon_o)\varepsilon_e \sigma T_e^4 + \varepsilon_o \sigma T_o^4 + (1-\varepsilon_e)\varepsilon_o \sigma T_o^4 \quad \text{........(식 5.6)}$$

여기서, R_{total} 은 적외선 카메라에서 측정된 총에너지를 나타내고, ε_e는 챔버의 표면 방사율을 나타내고, ε_o는 인체의 표면 방사율을 나타낸다. 또한 T_e는 챔버의 내부온도이고, T_o는 인체의 온도이다. 여기서 σ는 스테판 볼쯔만 상수이다.

열전달의 형태는 대류, 복사, 전도의 형태로 전달된다. 이 중 복사는 주변물체와 전자기적으로 열을 주고 받는 형태이며 주고 받는 에너지량은 식(5.6)과 같이 표면 방사율과 밀접한 관계가 있다. 따라서 체열자의 상태에 따른 정확한 측정을 위해서는 적외선 내부의 에너지 반사를 최소화하여야 한다.

5.8.2 의료진단의 활용

적외선 체열진단장치의 경우에는 X-Ray촬영이나 그외 복잡한 의료장치를 사용하지 않더라도 아주 손쉽게 체열자의 상태를 정확하게 진단하는 것이 가능한 특징을 가지고 있다.

앞서 살펴본 유방암 환자의 분류 뿐만 아니라 [그림 5.7]과 같이 경추부분의 염좌로 인한 증상도 적외선 열화상을 통하여 통증의 발생 부위를 검출이 가능하며, 편타성 손상, 등 부상, 수근관 압박 증후군(Carpal Tunnel syndrome)에 대한 의학적 부상 검사 질병 진단 및 관절염, 기타 등등 치의학, 아래턱 관절 기능장애스포츠 부상 진단 및 치료요법의 효율성 평가와 압박 골절, 절뚝거림 레이저 방사선 진단 의료을 대체하여 환자의 상태에 대한 이미지를 통하여 확인가능하다.

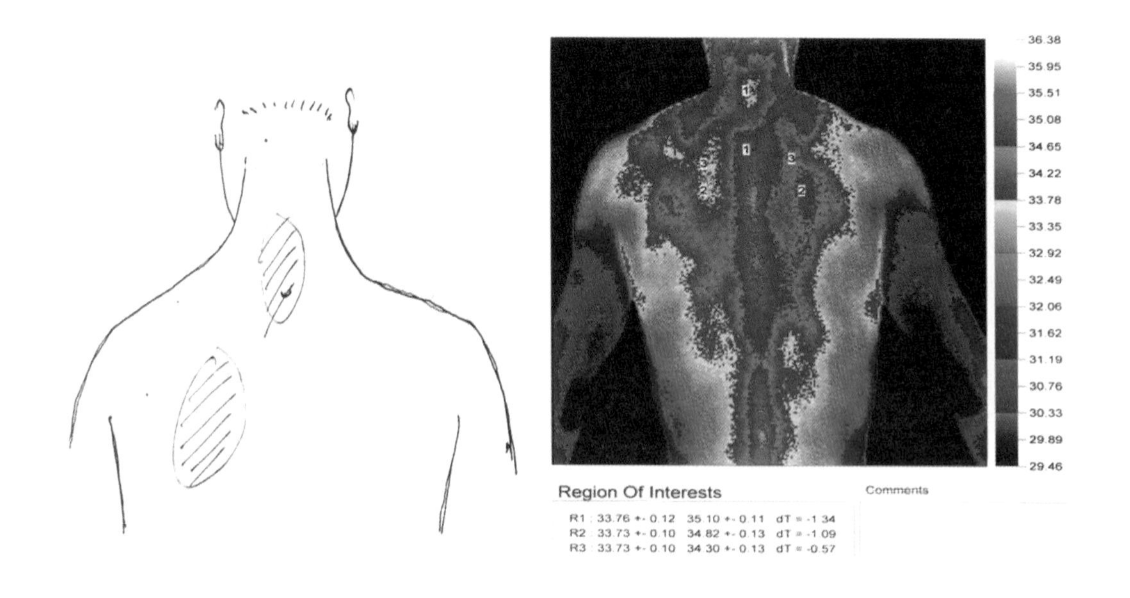

[그림 5.7] 경추 염자 환자의 체열화상

앞으로 국내에서 의학 분야의 체열 검사가 나아가야 할 방향으로 내용으로는 3차원적 체열진단, 실시간 및 동영상 체열 진단, 역동적 체열진단, 생체조절기능 체열진단, 전자통증 챠트를 이용한 체열진단, subtraction 체열 진단, 다양한 분야에서 활용할 수 있는 선택적 체열진단(유방과 갑상선 질환확인을 위한 소규모 전용 체열진단, 복부나 심장수술을 위한 내시경적 체열촬영, 혈관수술을 위한 고해상도 microprobe 체열촬영) 등을 들 수 있다.

이외에 이동이 편리한 이동식 휴대형 체열촬영과 열적외선 방식 외에 피하조직을 통과할 수 있는 근적외선 촬영방법, 전신을 촬영할 수 있는 체열 촬영, 대사증후군이나 비만 환자에서 사용할 수 있는 체열 촬영 방법들에 대한 개발이 유용할 것이다.

5.8.3 의료 적외선 챔버

적외선 열화상에 의한 의료용 체열진단법은 환자의 체온을 적외선 카메라를 이용하여 비접촉 측정하고 체온의 좌우대칭을 비교함으로서 신경계 징후군, 유방암, 다한증, 관절염, 한방체열 등의 병명을 진단한다.

5.8.3.1 의료챔버의 차폐성

현재 적외선 열화상 의료진단을 위한 진단절차를 살펴보면, 환자가 진단실의 온도에 적응하도록 옷을 벗고 가운을 입은 채로 카메라가 설치된 진단실 내부에서 20분 이상을 기다려야 한다. 진단실 온도에 적응되지 않은 상태에서는 정확한 진단결과를 얻을 수 없으므로 온도적응시간이 반드시 필요하다. 이는 환자에게 시간적 손실과 함께 적외선 체열진단에 대한 좋지 않은 인식을 갖도록 한다.

또한, 현재 진단방식은 카메라의 위치가 고정된 상태에서 환자가 움직이면서 체열을 측정하고 있다. 적외선 카메라가 고정이 되어 있는 상태에서 환자의 전면부와 후면부, 하체를 진단하기 위해 환자가 움직여서 측정하는 방식으로 몸이 불편한 환자에게는 진단에 어려움이 있으며, 환자의 자세변경에 따라 환자의 인체에서 압력의 변화는 미세한 온도변화로 나타나 진단결과에 영향을 줄 가능성도 배제할 수 없다.

열역학의 개념에서 열원을 갖는 물체는 대류, 전도, 복사에 의해 열을 전달하게 되며, 이러한 사실은 진단실 내부의 온도, 공기유동, 습도, 내부방사율이 진단결과에 영향을 주게 된다. 그러나, 현재 의료용 적외선 열화상 진단은 이에 대한 기술적 이해가 부족하여 진단실 환경에 대한 영향을 무시한 채로 진단함으로서 진단결과의 재현성과 신뢰성이 부족한 것이 현실이다.

5.8.3.2 의료챔버의 기능성

의료챔버에서는 에어분사장치, 카메라 자동이송장치, 거리 및 회전제어 의자, 전용 진단실을 고안하므로서 체열진단의 신속성, 환자의 편의성, 체열자료의 안정성, 진단결과의 정확성을 증대하고자 한다.

o 주요 내용

1) 체열진단 시간의 개선

계절이나 환자의 상태에 따른 체온변화율을 최소화하여 체온 변동율을 일정히 유지해야 한다. 환자의 체온이 카메라가 설치된 진단실의 온도와 적응시키도록 하기 위해 진단실 입구에 에어샤워시설을 설치하여 일정하게 유지되는 진단실의 온도와 같은 온도의 에어샤워를 환자에 분사히도록 한다. 에어샤워를 받은 환자는 진단실의 온도에 보다 빠르게 적응할 수 있으며, 검사를 위해 기다리는 시간을 획기적으로 줄일 수 있다.

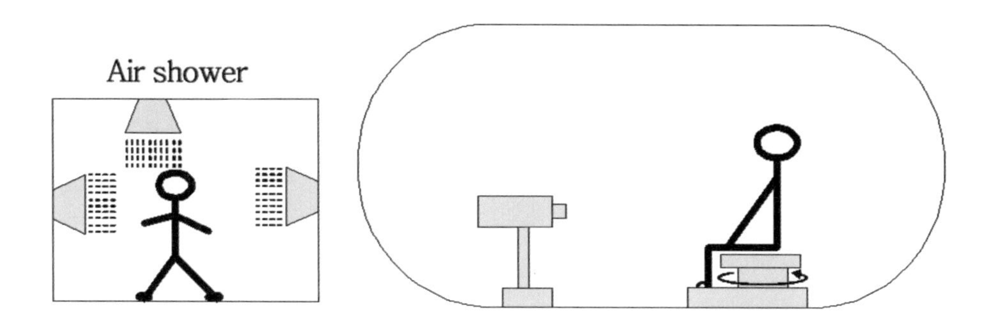

2) 환자의 편의성 개선

일정하고 균등한 온도를 유지하는 진단실 내부에 자동회전 의자를 설치하여 진단실 밖에서 조절할 수 있도록 한다. 환자는 자동회전 의자에 앉은 상태에서 진단부가 카메라와 일치되도록 외부에서 자동으로 의자를 조절하고 카메라와의 거리를 조정할 수 있는 장치를 설치한다. 또한 환자의 진단부위에 따라 카메라의 높낮이가 외부 조작에 의해 조절될 수 있는 높이 조절장치가 카메라 지지대에 장착이 된다.

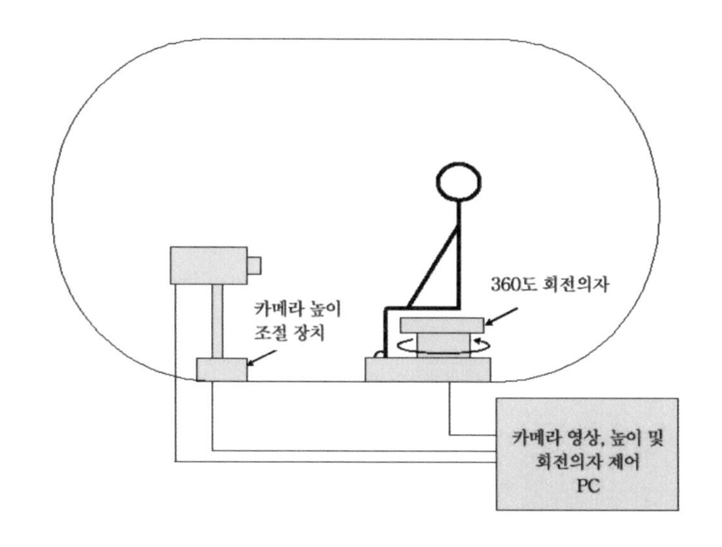

3) 진단조건의 환경 설정

진단실 내부는 열적으로 평형상태인 일정한 온도, 균일 공기유동, 적정 방사율을 유지함으로서 진단결과의 정확성을 증대할 수 있다. 진단실의 내부는 항온항습 장치에 의해 온도는 25±2 ℃, 상대습도는 50%를 유지하도록 하여 진단실 내부공기의 물리적 성질을 일정한 상수로 취급할 수 있도록 한다. 공기유동은 내부에서 1 m/s

이하로 유지함으로서 환자의 몸에서 외부로 강제대류에 의해 야기되는 부분적인 온도저하가 없도록 한다.

4) 진단결과의 신뢰성 증대

환자의 주변물체에서 방사하는 복사에너지에 의한 진단 결과의 오류를 방지하기 위해 진단실 내부에는 융모가 있는 염색이 일정한 검정 벨벳천으로 도배하여 방사율을 0.91로 일정하게 유지하고 융모에 의해 주변물체에서 방사되는 복사파장을 흡수할 수 있도록 한다. 또한 환자의 후방 벽면은 구형을 유지하여 환자의 몸에서 방사되는 복사에너지가 외부 물체로 전달되는 것을 최소화 하여야 한다.

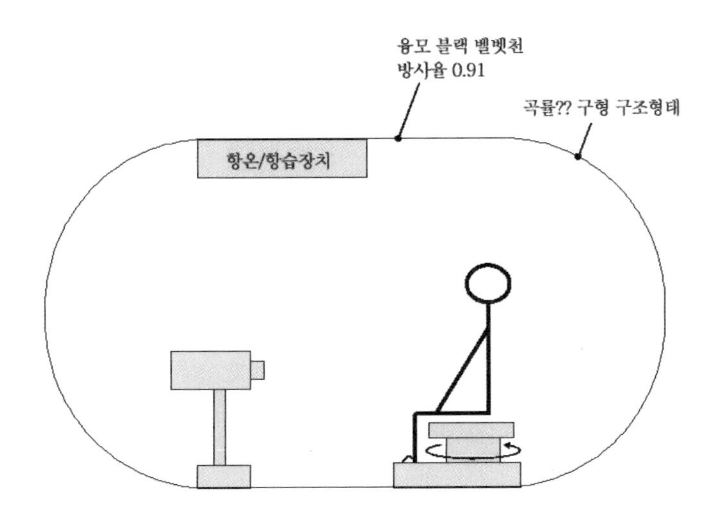

5.8.4 의료용 적외선 열화상 처리 기능

5.8.4.1 Standard thermogram

온도의 어느 절대값에 있는 칼라코드를 대응시켜서 표현시킨 서모그램에서 온도의 절대값으로 진단을 내릴 때에 이용한다. 환자를 최초로 스크리닝적으로 보기 위해서는 37 ℃ - 17 ℃(1 ℃에 20색)의 범위가 환경 온도의 정보로 넣기 때문에 적절하고, 온난한 실내에서 온도 순화 후의 스크리닝이라면 25 ℃ - 35 ℃(0.5 ℃에 20색)을 드폴드값으로 하여 이용하는 것이 좋다.

예컨대 필자들의 컴퓨터화 적외선 열화상 시스템(CTS)에서는 18색 표시를 하고 있기 때문에 19 ℃ - 35 ℃를 초기 설정값으로 하고 있고, 이 화상으로 먼저 환자를 보는 습관을

붙였으면 한다. 염증에서의 발열이나 이상적으로 저온인 부분은 용이하게 알 수 있다. 또한 배경 온도가 가능한 한 일정하게 되도록 검사의 환경 온도를 조절하는 체크도 가능하다.

5.8.4.2 Thermographic index thermogram

신체의 어느 표준적 부위의 온도(전액 온도나 직장 온도나 경골조면 전부 등)로부터의 온도차를 적외선 열화상으로 한 것으로, 진단상 고체차나 시각차의 영향을 없앤 적외선 열화상이 필요한 염증의 정도나 대사율의 차 또는 각종 치료의 효과 판정에는 없어서는 안되는 적외선 열화상이다. 식(5.7)과 같이 TI지표라 불리지만, 대상 영역의 온도 하한이나 상한이 지정될 수 있기 때문에, 염증이나 종양이 있는 표준 온도로부터의 온도차 적분값이나 평균값을 구하는 것도 가능하고, 종양의 악성도(악성도를 온도의 함수로서 표시할 수 있으면)나 염증의 정도를 표현할 수 있다.

$$TI = \frac{\Sigma(T_s - T_a)}{S} \qquad \text{(식 5.7)}$$

T_s : 피부온도

T_o : 표준으로 되는 점의 온도

S : 계측에 걸린 부위의 면적(화소수)

5.8.4.3 Time differential program

시간을 두고 촬영된 2매의 서모그램 사이에서 감산을 실행하여 얻어진 서모그램이다. 분석상은 3종으로 나누어 생각하면 된다.

1) 환경 부하 인자의 변화를 무시할 수 있는 단시간의 화상간 차분 화상과 미분(차분/시간) 화상

단시간에 온도 환경이 생체에 그다지 영향을 주지 않는 상황하의 화상(예컨대 투약 전후의 화상간)에서는 차분 화상은 피부에 유입된 동맥 혈액량을 나타내고 있다. 피부의 어느 부분을 컴팩트먼트로 하여 고려하고 그 부분의 열의 수지를 고려하면, 단시간의 피부 온도 변화 ΔT_s는 식(5.8)로 나타낸다.

$$\frac{C_s \Delta T_s}{\Delta t} = \frac{\Delta Q_C + \Delta Q_B + \Delta Q_M + \Delta Q_r + \Delta Q_e + \Delta Q_f}{\Delta t} \qquad \text{(식 5.8)}$$

여기서,

Q_C : 전도열량, Q_b : 혈류 전달 열량

Q_m : 대사발생열량, Q_r : 방사열량

Q_e : 증산열량, Q_f : 대류방열량

C_S : 피부의 열용량, T_S : 피부 온도

t : 시간

으로 표시되는 중, 단시간에 거의 변화하지 않기 때문에 무시할 수 있는 항목은 ΔQ_m, ΔQ_e로 외부에 방산되는 열량의 3항목의 변화(ΔQ_r, ΔQ_e, ΔQ_f)도 피부 온도가 1℃ 이상 변화하는 환경하에서는 ΔQ_b에 비교하여 2행 정도 낮은 것이 시산되고, 따라서 피부 온도의 변화율(감산 화상을 2화상의 시간 간격으로 나눈 것)은 단시간에서는, 식(5.9)와 식(5.10)으로 나타낸다.

$$\frac{C_S \Delta T_s}{\Delta t} \fallingdotseq \frac{\Delta Q_C}{\Delta t} \fallingdotseq pc V_{sm}(T_b - T_{sm}) \quad \text{(식 5.9)}$$

$$V_{sm} = (\frac{C_S}{pc}) \cdot \frac{(\Delta T_s / \Delta t)}{T_b - T_{sm}} \quad \text{(식 5.10)}$$

여기서,

pc : 혈액의 열용량

V_{sm}: 피부 혈류량 평균값

T_b : 동맥혈 심부 온도

T_{sm} : 피부 온도 평균값이고,

혈류량에 대략 비례하는 것이라고 사료된다. 단시간 내의 시계열의 화상의 감산으로부터는 혈류를 위해 그 시간 내에 그 부위에 유입된 혈액량의 정보가 얻어지게 된다.

2) 환경 인자가 격변하는 부하를 스텝 입력으로 하여 부여되었을 때의 차분 서모그램, 냉수 부하 등의 온도 부하를 부여한 경우나, 환경 온도로의 순화 과정에서의 이 처리에는 열전도나 열 증발의 항이 가산되고 이야기는 복잡해진다. 기본적으로는 열전도의 방정식을 고려하고 모든 환경 조건과 체내의 병태 모델을 고려한 다음 화상 처리의 의미를 고려하지 않으면 안 된다.

5.8.4.4 Asymmetry detection thermogram

생체의 시상면(화살 형상면)에 대한 온도 분포의 대칭성을 검출하기 위한 서모그램에서 좌우의 대응 부위의 서모그램 사이의 감산을 실행한 것이다. 이 감산 서모그램상에서는 고체차, 시각차, 환경 온도차 등의 애매함이 현저히 감소하지만, 대응 부위를 잘 선택하지 않으면 잘못된 화상을 만들어내기도 한다.

이 방법과 함께 온도 분포를 히스토그램으로 조절하면 그러한 것을 방지할 수 있다.

척수 지각 신경계의 장해에 의한 동통이나 교감 신경절의 장해나 블록 등은 교감 신경절의 장해나 블록 등은 많은 것이 편측성이고, 그 검출에는 강력한 방법론으로 된다. 통상 피부 신경절 단위의 화상 표현(dermatome)이나 장해 근육 단위(myotome) 혹은 동맥 지배 영역 단위의 화상으로 되기 때문에 질환의 소재의 지역 진단이 가능해진다.

5.8.4.5 기타 화상 정의

1) Subtraction thermogram

부위를 지정하여 2화상간의 감산을 하는 방법으로 최초에는 일시적으로 화상이 촬영되지 않는 좌우의 측면 화상의 감산 처리에 사용되었지만, 치료를 한 전후의 온도 변화로부터 정상의 온도 반응분을 미리 감산하고자 했을 때 등에 편리하게 이용할 수 있고 많은 응용이 고려된다.

2) Mean temperature & histogram

소정 부위의 온도 평균값을 계측하고자 하는 요망은 많고, 이것에 부위내의 최고 온도와 최저 온도를 더하여 표시하는 기능을 부가했다. 히스토그램도 2국소의 비교를 가능한 한 정량적으로 비교하고자 한다는 사고로부터 부가되고, 대상 영역의 온도 평균값과 조회하면서 비교할 수 있다.

3) Skin flood flow calculation

전라로 29 ~ 31 ℃, 얇은 착의로 25 ~ 29 ℃ 정도, 상대 습도 50 ~ 70%의 쾌적한 열환경하에서 인간은 환경 온도와 열적인 평형 상태로 된다. 이와 같은 환경하에서는 전신의 피부 온도를 평균하면 약 33 ~ 34℃가 되고 이와 같은 상태를 열적 중립 상태(thermal neutral)라 부르고, 체표 온도의 분포는 거의 피부 혈류량의 분포로 된다고 간주되고 있다.

이 조건하에서 체표의 어느 부분을 취하고, 시뮬레이션 "E모델 “을 만들고, 열의 수지의 식을 구축하면 일단 피부의 혈류량(V_S)을 산출할 수 있다. 여기서의 V_S의 단위는 100g 조직당 매분류량(ml/100g 조직"Emin)이다. 즉 중립 온도 조건하에서 사지의 말초의 치수(D:직경), 서모그램에 의한 피부 온도(T_S), 실온(T_a), 벽온도(T_W), 심부 온도계에 의한 국소 심부 온도(T_c), 체온(T_b)을 입력하면, S의 두께를 갖는 피부의 혈류량을 개산할 수 있다.

물론 이 계산은 몇 개의 가정상에 성립하는 것으로, 피부의 통증, 카운터카렌트율, 동맥혈의 온도 등에 충분한 고려를 하지 않으면 안되지만, 중립 온도 조건에서는 이 계산에 의해 구해진 값은 성서에 의한 조직 혈류량의 값과 잘 일치하는 것이 보고되고 있다.

혈류 분포에 관해서는 온도 분포보다 혈류 기여율이 증강되어 있기 때문에 알기 쉬운 표현으로 된다

4) 그 밖의 화상 처리

· **동기 서모그램**(gated thermogram)

심전도의 일정 위상으로 계측된 서모그램에서 화상에는 혈액 수송에 관계되는 혈관계의 상황의 정보가 들어가 있다고 사료된다. 금후 서모그램의 온도 분해능이 향상되는 동시에, 생리학적 의미가 명료해질 것이다.

· **피부 온도의 율동성 변화의 주파수 분포도**(thermal rhythm spectrography)

피부 혈관 조절의 율동을 주파수의 분포로 보고자 하는 것으로 자율 신경계의 조절의 정보를 분포로서 보는 첫 시도라고 사료된다. 1000매 가까운 화상 정보를 사용하고, FFT 변환을 픽셀마다 실행하는 이 방법은 역시 퍼스널 컴퓨터로는 불가능하고, 현재로는 미니컴퓨터의 레벨로 처리가 실행되고 있다.

· **생체 열전달 방정식으로부터 구해지는 전열 관련 파라미터의 분포도**

생체의 피부 근방에서의 열전달의 시뮬레이션 모델을 작성하고 계측된 서모그램과 환경 조건으로부터 전열의 파라미터를 연산하고, 분포로서 표시하고자 하는 것이다. 가장 구체적인 예로서는 중립 온도 조건하에서의 피부 혈류 분포의 표시가 있다. 또한 그 밖에 뉴튼의 냉각 계수의 분포를 구하거나 그 밖의 전열 파라미터의 분포를 구할 수도 있다.

제 6 장 표준화

6.1 표준화 개요

국제사회에서의 WTO 편제하에서 국가간의 기술 보호장벽은 높아지고 OECD 가입에 따른 첨단기술 개발 및 기술우위에 대한 중요성이 날로 요구되는 바, 이에 대한 계측 분야 중 최근 비젼기술의 발전과 함께 가장 핵심적인 기술 중의 하나로 부상하고 있는 적외선열화상 비파괴 표준화에 대한 필요성이 증대되고 있다.

이로부터 세계 표준화 전략이 국가주도의 국가표준보다는 기업의 창의를 중시하는 사실상 표준(de facto standard) 제정으로 전환되는 추세이고, 세계적으로 기업 주도의 사실상 표준화 기구인 ISO(International Standard Organization)가 만들어지고, 세계시장에서도 그 역할이 날로 증가하고 있다. 따라서, ISO/TC 135/SC 8의 적외선열화상 비파괴검사에 관한 국제표준과 관련한 세계 각 지역, 각 국은 국제표준의 도입과 지역규격을 국제화 하는데 노력을 경주하고 있다.

다양한 비파괴검사(nondestructive testing; NDT) 중에서 모든 물체 자체로부터 발산하는 절대온도 영도 이상의 에너지 중에서 적외선 파장대의 에너지를 적외선 검출기에 의해 감지해서 전기신호로 변환시켜 영상화 한 적외선 열화상은 모니터 상에 대상 물체의 온도분포상태를 영상으로 나타내는 것으로, 적외선 계측에 의한 제품의 부품단계 신뢰성뿐만 아니라 각각의 공정단계나 사용 중인 부품에 대하여 비파괴평가 및 제조 공정단계의 평가를 위해 이용할 수 있는 매우 유익한 기술이다.

한편, 국내 산업의 국제 기술 경쟁력 확보를 위해서는 초고도의 비파괴검사 및 표준화된 규격개발을 통한 적외선 열화상 비파괴 표준화는 절실하며 적외선 열화상 비파괴검사(thermography testing - nondestructive testing; TT_NDT) 기술이 다변화에 의한 전체적인 비파괴산업의 국내 활성화를 이룰 수 있다. 국제적으로는, 2008년 이후, 유럽에서는 독일이 자국의 규격개발을 토대로 국제규격의 표준화에 대해 CEN을 중심으로 적극적으로 활동하고 있다.

또한, ISO/TC 108/SC 5/WG 11에서는 국제표준화에 대한 적외선 열화상의 적용이 매우 시급함에 따라 이에 대한 ISO 18436-7을 개발하여 적용하고 있는 실정이다. 열적 에너지는 모든 기계의 작동으로 존재하고, 그것은 실제 프로세스 자체 또는 조합에 의해 생산되는 공정의 속성으로서, 마찰 또는 에너지 손실의 모양으로 있을 수 있다. 그 결과, 온도는 기계의 성능, 기계의 상태와 기계 문제의 진단법을 모니터링하기 위한 핵심적 매개 변수일 수 있다.

추가로, 기계설비의 동작에 따른 열적데이터 획득을 위한 상태감시에 대한 ISO 18436-7의 소개로부터 적외선열화상의 국제부합화를 위한 국제표준화에 대하여 검토하도록 한다.

6.2 ISO/TC 135/SC 8 소개

6.2.1 ISO/TC 135/SC 8 소개

국제표준 조직인 ISO의 비파괴검사 기술위원회인 TC 135의 소위원회인 SC 8는 열적 방법인 적외선열화상 비파괴검사(Thermal methods; Infrared Thermography for NDT)로서 ISO/TC 135/SC 8로 명명한다. 2003년 12월 제주에서 열린 아시아-태평양 비파괴검사 국제학술대회(Asia-Pacific Conference in NDT; APCNDT)와 연계하여 ISO/TC 135 총회(plenary) 기간 중에 개최된 회의에서 적외선분과인 /SC 8이 제안되었다.

표 6-1 Status of ISO/TC 135/SC 8 meeting

Date	Location	Activity
'03.12	Jeju, Korea	SC 8 composing
'05.10	Columbus, USA	secretary, chairman admitted
'07.11	Buenos Aires, Argentina	WG 1 composing
'08.08	Shanghai, China	ISO 10878 review
'09.11	Yokohama, Japan	4 NP discussions
'10.06	Moscow, Russia	2 NP Resolved 2 NP Draft proposed
'12.07	Durba, South Afroca	

그리고, 2004년 12월 ISO/TC135/SC 8 회원국들 간의 투표(e-balloting)로부터 한국이 간사국(secretariat)으로 선임되었고, ISO/ TC 135/SC 8의 의장과 국제간사로 한국표준과학연구원의 이승석 박사와 최만용 박사가 각각 피선되어 현재 활동하고 있다. 그 동안의 ISO/TC 135/SC 8 회의 개최 현황은 표 6-1과 같다. 한편, ISO/TC 135는 9개의 SC와 작업그룹(Working Group; WG)으로 구성되어 있으며 Table 1과 같이 ISO/TC 135/SC 8이 구성된 년도는 7년으로 아직은 짧으나 초기 출범이후 지속적으로 회원국은 증가하고 있는 추세이다. 초기 SC 8이 출범 시에 회원국 수는 간사국을 제외한 4개국(일본, 영국, 독일, 호주)의 P-member와 3개국의 O-member로 총 8개국으로 회원국 수가 구성되었으나, 2010년 5월 현재 9개국(일본, 영국, 독일, 호주, 인도네시아, 중국, 브라질, 인도, 체코)의 P-member와 6개국의 O-member로 총 회원국 수가 16개국으로 점차 회원국 수가 증가하고 있는 실정이다.

한편, 2007년 11월 아르헨티나 부에노스아이레스에서 범아메리카 비파괴검사 학술대회(Pan-American for NDT; PanNDT)와 연계하여 ISO/TC 135 총회(plenary) 기간 중에 개최된 ISO/TC 135/SC 8 회의에서 ISO/TC 108/SC 5/WG 11 - 기계의 상태진단 및 고장진단-열영상(Condition monitoring and diagnostics of machines - Thermal imaging)으로부터 연계(liaison)를 요청받아 상호 규격개발에 관한 정보를 공유하고 있다.

6.2.2 국제규격 NWIP 현황

국제표준규격 개발 기관인 ISO를 중심으로 적외선열화상 비파괴검사와 관련된 국제표준규격을 ISO/TC 135/SC 8에서 제·개정하고 있으며 이로부터 비파괴분야 적외선열화상에 대한 국제표준화가 이루어지고 있다. 표 6-2는 ISO/TC135/SC 8에서 그 동안의 제안된 신규 국제규격 제안을 나타낸 것이다.

표 6-2 Status of NWIP in ISO/TC 135/SC 8

Date	NWIP	Title
'07.04	N003	Examing electrical installations
	N004	Characters of equipment and system
	N005	Terminology
	N006	Standard guide
'09.06	N018	Metallic reference specimen

표 6-2에서 나타난 신규 작업 항목 제안(New Working Item Proposal; NWIP)는 모두 아국에서 제안되었다. 제안된 5개의 NWIP 중 N005가 채택되어 개발 중이며, N019는 현재 진행 중인 상태이다.[6]

6.3 국제표준화 동향

6.3.1 ISO 10878 개발

상기 6.2의 표 6-2에서 나타난 바와 같이, 2007년 제안된 네 개의 NWIP에 대한 상세제목은 각각 다음과 같다.

- ISO/NP 10878, "Non-destructive testing - infrared thermography - Vocabulary" (N005)
- ISO/NP 10880, "Non-destructive testing - infrared thermography - General guidelines" (N006)
- ISO/NP 10881, "Non-destructive testing - infrared thermography - Guidelines for inspecting electrical installations" (N003)
- ISO/NP 10886, "Non-destructive testing - infrared thermography - Set-up and operating characteristics of detecting equipment" (N004)

상기 네 개의 NWIP에 대하여 Table 1의 부에노스아이레스 회의로부터 ISO/NP 10878이 신규 프로젝트(New Project: NP)로 채택되었고, 나머지 세 개의 NWIP 안에 대해서는 ISO/NP 10878의 국제규격 개발이 상당히 이루어진 후에 추 후 NWIP를 재상정하여 개발하기로 합의가 이루어졌다. ISO/NP 10878은 적외선열화상 비파괴검사에 대한 단어 및 용어에 대한 정의를 규정한 국제규격 문서를 개발하는 것이다.

표 6-3 Development road map of ISO/FDIS 10878

Document	Processing roadmap
WD	'07.11 ~ '08.09, 초안 코멘트/수정
CD	'08.10. ~ '09.08, 위원회 수정/등록
DIS	'09.09 ~ '10.04, CD, 개정 후/합의
FDIS	'10.05 ~ 진행 중, 최종안 등록 예정

이로부터, ISO/NP 10878에 대한 WG가 구성되었고 컨비너(convenor)로 아국의 김원태 교수가 피선되었다. ISO/TC 135/SC 8에 WG가 승인됨에 따라 ISO/TC 135/SC 8/WG 1이

구성되어 ISO 10878에 대한 국제규격 개발이 컨비너인 김원태 교수가 프로젝트 리드(project leader; PL)를 겸하여 WD 작성 및 단계별 규격안을 관리하면서 현재 FDIS 단계를 진행하여 ISO/FDIS 10878 국제규격을 개발 중에 있으며 표 6-3은 이에 대한 그 동안의 로드맵을 나타낸 것이다.

표 6-3에서 WD(Working Draft)는 작업문서로서, 앞서 승인된 ISO 10878 NP에 대해 작업초안을 준비하는 단계이고, CD(Committee Draft)는 국제규격안으로서 앞서 작성된 WD를 ISO/TC 135/SC 8/WG 1의 각 P-memebr 국가들이 ISO/TC 135/SC 8/WG 1에 선임하여 자국의 각 전문가들로 구성된 ISO/TC 135/SC 8/WG 1 위원회의 e-balloting을 통해 위원회내의 의견을 수렴하는 단계이고 DIS(Draft International Standard)는 위원회로부터 동의(consensus)된 CD에 대하여 각각의 P-memebr 국가들이 자국의 자체 내 구성된 ISO/TC 135 심의위원들로부터의 질의를 거쳐 통과하는 질의단계이다.

ISO 10878은 현재 최종국제규격안인 FDIS(Final Draft International Standard)의 승인단계를 거치고 있으며, 향 후 국제규격인 IS(international Standard)로 발간단계에 이르러 국제규격이 완성되어질 예정이다[7].

6.3.2 금속참조시편 개발

상기 2.2에서의 표 6-2로부터 아국에 의해 ISO/TC 135/SC 8/N018로 제안된 "금속참조시편" 에 대한 상세제목은 다음과 같다.

: ISO/TC 135/SC 8/N018, NWIP; General requirements for standard specimen in infrared thermography - Metallic reference block
(금속참조시편에 대한 적외선 열화상 비파괴검사)

상기 NWIP에 대해서는 간사국을 포함한 P-member 10개국 중 8개국이 투표하였다. 투표한 8개국 중 6개국으로부터 규격개발에 대한 동의를 받았으며 한 개국으로부터 부정, 나머지 한 개국은 답신이 없었다. 제안단계인 표준규격 개발절차에서 제안된 NWI가 승인 및 작업프로그램(WD)으로 등록이 되기 위해서는 P-member 투표 과반수 이상, 5국 이상 회원이 참여하여야 하며 이에따라 아국에서 제안한 "금속참조시편에 대한 적외선열화상 비파괴검사" 은 NWI으로 승인을 받았다. ISO/TC 135/SC 8 N028 문서는 ISO/TC 135/SC 8 N018에 대한 투표결과를 ISO/TC 135/SC 8의 P-member에 공지한 문서로서 아국이 제안한 NWI가 승인이 되었음을 공시하였다.

"금속참조시편에 대한 적외선열화상 비파괴검사" 에 대하여 NWI를 승인한 P-member 화원국 중 NWI의 WD에 참여할 자국의 전문가를 미선정한 P-memner가 발생하였다. NWI를 승인한 P-member 화원국은 NWI의 WD에 참여할 자국의 전문가를 필히 선정하여 WD 개발에 참여해야하며 전문가를 선정하지 않으면 비록 NWI를 승인하였다 하더라도 각 국의 전문가 미필로 인해 WD 개발과정이 이루어질 수가 없으므로 NWI 승인이 무효가 된다. 이에 따라 "금속참조시편에 대한 적외선 열화상 비파괴검사" 의 NWI에 대하여 상기 2.1 Table 1에 기술된 2009년 11월 일본 요코하마에서 개최된 ISO/TC 135/SC8 회의의 결정인 ISO/TC 135/SC8 N030에 의해 승인이 보류되었다.

한편, NWI 승인을 옵션에 의거하여 부정한 회원국인 브라질에 대하여 상기 2.1의 Table 1에서 기술된 지난 2009년 일본 요코하마에서 개최된 ISO/TC 135/SC 8 회의에서 결정된 사항 중 항목 4는 다음과 같다.

Resolution 4 : Secretariat would write to Brazil regarding the actions taken w,r,t their comments on N018 and resolve the issue.

한편, 2010년 4월에 NWI의 승인으로 입장이 바뀌어짐에 따라 2010년 6월 모스크바 회의로부터 WD 작성 협의를 거쳐 현재 "금속참조시편에 대한 적외선 열화상 비파괴검사" 에 대한 WD 개발을 아국에서 진행 중에 있다.

또한, 적외선 열화상 비파괴 검사기술 관련하여 4건의 국제 표준 규격을 신규 제안하였으며, 2007. 10. ISO/TC 135/SC 8의 Working Group 결성. WG 1의 Convenor로 선임되었다. 또한 NWI(ISO/NP 10878)인 N005를 WI으로 선정 : Vocabulary Terminology and Definition for Infrared thermography in Non-destructive testing하였고 의료 분야에서는 ISO 와 IEC를 연결한 JWC (Joint Working Group) 결성해 "screening thermography" 를 추진하고 있다. Optic IRT_NDT STB의 측정 표준환경 설계를 통해 국내에서 개발된 표준시험편(R-304-0002-2007)를 바탕으로 국외 기관과 협의하여 수정 및 최적화중에 있으며 Optic IRT_NDT STB의 국외 관련기관 상호 인증을 위한 시험절차서 개발을 진행하고 있는 상황이다.

현 아국에서 개발하는 기술과 관련하여 규격개발을 통해 제안되는 단체 규격을 바탕으로 국외 기관과 협조하여 ISO NWIP을 위한 영문 규격 개발을 병행하여 국외 기관과 절차서 작성에 따른 용어 및 기술적 접근방향 협의 중이다.

6.4 자격취득

6.4.1 ISO / FDIS 18436-7 응시조건

국제적으로 인정되는 적외선 열화상 기술자의 자격부여와 평가에 대한 규격은 ISO 규격뿐으로 ISO 18436과 ISO 9712에서 발행하며 제정조직은 ISO에서 담당하고 있다. 자격부여와 평가에 대한 국제규격으로 세계적으로 공인받았으며, 인증기관으로는 ISO가 인정하는 인증기관(국가별 1개)을 두고 있다.

표 6-4 ISO FDIS 18436-7에 의한 자격시험 응시조건

구분	영역1	영역2	영역3	비고
학력	• 중등학교 졸업이나 동등 수준의 학력	• 대학, 종합대학, 인증된 기술 학교에서 2년 이상의 기계 기술 혹은 기계공학 과정을 마침		• 권장사항
최소누적 훈련시간	• 40시간	• 80시간 • 중대학 중단이 없이, 최소 5년 이상의 표준에서 요구되는 문서화된 경력을 갖춘 일력은 영역1 인증없이 영역2 시험에 직접 응시 가능함	• 120시간	• 부록 A의 교육항목들에 대한 훈련 • 강의, 실험, 실습 등으로 구성
최소경력 요구시간	• 12개월 • 400시간	• 24개월 • 1200시간	• 48개월 • 1920시간	• 인증 단체에서 규정하는 열화상 기반의 기계 상태 감시 경력을 제출해야 함

- 영역1, 2 응시자는 영역2 이상 수준의 인증인력에 의해 검증된 열화상 기반의 상태감시 업무 특성과 시간에 대한 기록을 유지해야 하며 이 기록은 상위인증자의 검증을 받아야만 한다.
- 영역3 응시자는 인증단체에 의해 승인된 표준을 준수하는 영역 3 인증인력에 의해 검증된 업무 특성과 시간에 대한 기록을 검증받아야 한다.
- 검증 절차에는 검증자의 서명이 요구되며, 검증자는 구두 시험, 수반되는 업무, 보고서 제출과 검토, 업무절차 제출 및 검토 혹은 그 조합으로 검증의 신뢰성을 높여야 한다.
- 모든 응시자는 이시하라 24색조 시험으로서 색 인식평가를 받도록 조언하며 4색 이상을 구분하지 못하는 응시자에 대해서 단색조 monochrome 팔레트를 사용할 것을 요구할 수 있으며 요청에 따라 인증단계에서 시험결과를 문서화 할 수 있다.

훈련기관은 인증기관에서 선정하며, 자격발행은 ISO 18436에 따라 인증기관에서 기술자 개인의 시험평가와 자격증 발급, 관리를 하고 있다. 이에 상응하는 단체로는 미국의 ASNT에서 발행하는 자격이 있다. 이 자격은 ASNT SNT-TC- 1A(2006)에서 발행하며 제정조직은 ASNT에서 담당하고 있다. 자격부여와 평가에 대한 규격은 조직내 기술적 수준과 인증에 대한 내부 프로그램 수립을 위한 권장사항이며 인증기관은 고유주(조직의 대표자)가 인증기관의 역할을 수행하고, 훈련기관 또한 고용주가 선정하며, 자격발행은 고용주가 발급, 관리하지만 ASNT Level3는 ASNT에서 인증한다.

* 국내에서 요즈음 한국표준협회(KATS)에서 시행되고 있는 적외선열화상 교육은 국내 FLIR Korea가 적외선 열화상 장비업체인 FLIR가 설립한 ITC(Infrared Thermography Corp.)라는 사설기관과 조인하여 실시하는 적외선 열화상 교육 프로그램으로 국가표준이나 국제인증 또는 국제표준과는 부관하다.

6.4.2 ISO / 18436-7 자격시험

열화상 진단에 대한 자격인증 시험은 실무적인 경험을 기반으로 하며 기계들의 상태감시를 위해 필요한 적외선 열화상 개념과 원칙에 대하여 시험한다. 표 6-5는 자격시험의 내용에 관하여 나타내고 있다.

표 6-5 ISO 18436-7에 의한 자격시험의 내용

구분	문제수	시간	합격 점수	비고
영역 1	60항	1.5시간	75점	• Part A 열화상 일반(객관식) • Part B 실제 응용(화상에 대한 해석) → 데이터 취득, 기초결함 분석, 오차 원인의 인식, 방지 및 제어
영역 2	60항	1.5시간	75점	• Part A 열화상 일반(객관식 30문항) • Part B 실제응용(화상에 대한 해석) → 기계상태 감시를 위한 진단과 화상 해석
영역 3	60항	1.5시간	75점	• Part A 열화상 일반(객관식 30문항) • Part B 실제응용(화상에 대한 해석과 결함 규명, 해결방법 추천 그리고 검증 절차에 대한 해답을 요구하는 사례 기반의 문제) → 기계상태 감시를 위한 진단과 화상 해석, 해결책 설계 및 검증

추가시험	300항	0.75시간	75점	• 상응하는 인증 단체에 의한 부록 A에 기술한 내용을 포함하는 동등 수준 인증을 가진 사람들에게 적용할 수 있음 • 응시자는 평가되는 교수 항목을 포함하는 훈련 과정을 만족스럽게 수료하여야만 하고 그에 대한 문서 증명을 제출하여야 함

6.4.3 국내 자격 기관

국내에서의 적외선 열화상 비파괴 검사 (Thermography Test; TT) 과정은 ASNT 뿐만 아니라 최근 ISO 9712 (2005년판)에서 정식 자격종목으로 편입되고, 기술 및 장비가 날로 발전되어 현장에 적용되고 있으나 기술자에 대한 교육은 장비 제작사에 거의 국한되어 왔다.

이를 개선하고자 한국 비파괴 학회에서 2010년 처음으로 교육과정을 개설하여 년 2회의 교육을 통하여 ASNT Level III에 대한 교육을 실시하며 지속적으로 운영하고 있다.

부록으로 ISO 18436-7 '기계의 상태감시 및 진단요원의 자격 및 평가 필요사항' 을 수록하여 향 후 국제자격인증에 대한 흐름을 파악하고 대비를 하여야 할 것이다.

ISO 18436-7 '기계 상태감시 및 진단요원 자격 및 평가를 위한 필요사항'

이 부분은 필요조건에 대한 요구사항을 비침입적 기계장치 조건 감시에서 정의하고 기계장치 조건 감시를 위한 적외선 열화상과 관련된 진단법 기술에 종사하는 요원의 자격을 득하고 그 성취를 평가하는 방법이다.

1. 개론

기계의 동적상태를 모니터링하고 진단하기 위해 적외선열화상을 이용한 기계장치에서 고장은 대부분의 산업을 위한 예측적 유지 관리 프로그램의 키 활동이다. 진동 해석, 음향 방출, 윤활제 분석과 모터 전류 분석을 포함하여 다른 반침입적 기술은 상보적 조건 분석 툴로서 이용된다.

2. 범위 (Scope)

ISO18436의 본 part는 적외선 열화상(infrared thermography)을 활용하여 기계의 상태 모니터링 및 진단을 수행하는 인력의 자격과 평가를 위한 필수사항을 명시한다. ISO 18436의 이 part에 맞는 자격증이나 신고서는 휴대용 열영상 장비 (portable thermal imaging equipment)를 사용하여 기계 상태를 모니터링 하기위한 열 측정 및 분석을 수행하기 위해 자격의 인식과 체계의 유능성을 제공할 것이다. 이 절차는 특정 기계나 기타 특별한 상황에는 적용되지 않을 수도 있다.

ISO 18436의 이 part는 여기서 기술된 기술분야를 근거로 하는 세 개의 범주 구분 프로그램 (three-category classification programme)을 구체화 한다.

3. 인용규격 (Normative References)

다음에 인용된 문서들은 이 문서 적용에 필수적인 문서들이다. 날짜가 적힌 문서의 경우, 인용된 판만 적용된다. 날짜가 적히지 않은 문서의 경우, 참조된 문서 (수정사항 포함)의 최신판이 적용된다.

ISO 13372, 기계의 상태 모니터링 및 진단 - 어휘
ISO 13374 (모든 파트), 기계의 상태 모니터링 및 진단 - 데이터 처리, 커뮤니케이션 및 소개
ISO 13379, 기계의 상태 모니터링 및 진단 - 데이터 해석 및 진단 기법에 대한 일반적인 가이드라인
ISO 13381-1, 기계의 상태 모니터링 및 진단 - 예후 - 파트1: 일반 가이드라인
ISO 17359:2003, 기계의 상태 모니터링 및 진단 - 일반 가이드라인
ISO 18434-1, 기계의 상태 모니터링 및 진단 - 온도 기록법 - 파트1: 일반 절차
ISO 18436-1:2004, 기계의 상태 모니터링 및 진단 - 인력 훈련 및 자격부여 필요사항 - 파트1: 자격부여 기구 및 자격부여 절차를 위한 필요사항
ISO 18436-3, 기계의 상태 모니터링 및 진단 - 인력의 자격 및 평가를 위한 필요사항 - 파트3: 훈련기관 및 훈련절차에 대한 필요사항

4. 용어정의 (Terms and definitions)

본 문서의 목적에 따라, ISO 13372에 명시된 용어 및 다음이 적용된다.

4.1 중대한 중지요소 (significant interruption)

평가 받은 개인으로 하여금 다음에 명시된 기간 동안 해당 분야의 의무를 수행하는 것을 방해하는 부재 및 활동의 변경

a) 365일을 초과하는 지속적인 기간 혹은
b) 자격증이나 신고서의 총 유효기간의 2/5를 초과하는 2번 이상의 기간

5. 인력분류 (Thermography)

5.1 개요 (General)

ISO 18436의 본 파트의 필요조건에 적정하다고 평가된 개인은 그들의 자격조건에 따라 3개의 범주 중 하나로 분류되어야 한다. 이 개인들은 첨부A에 명시된 그들의 범주에 따라 열 상태 모니터링에 필요한 기술을 입증하여야 한다.
범주II로 구분된 인력은 범주I으로 분류되는 인력에게 기대되는 모든 지식 및 기술을 가져야 한다. 그리고 범주 III으로 분류된 인력은 범주II로 분류되는 인력에게 기대되는 모든 지식 및 기술을 가지고 있어야 한다.

5.2 범주I (Category I)

범주I으로 분류된 사람은 입증되고 인정된 절차에 따라 적외선 열화상 기술을 수행할 자격을 갖추었다. 범주I으로 분류된 인력은 다음을 수행할 수 있어야 한다:

a) 특정 열 측정 기술 적용;
b) 안전한 열 측정 데이터 수집을 위한 열화상 장비의 설치 및 운영;
c) 부족한 데이터 습득 및 잘못된 자료에 대한 구분, 예방, 최소화, 그리고 통제;
d) 수립된 지침에 따라 기본적인 결함 발견, 심각도 평가 및 진단;
e) 기본적인 이미지 후처리 수행 (측정 도구, 방사율 조정, 기간 및 규모 조정 등);
f) 결과 및 경향에 대한 데이터베이스 유지;
g) 열 측정 시스템(thermographic measurement systems)의 눈금측정 확인;
h) 검사 결과 및 주요 우려부분 평가 및 보고.

5.3 범주II (Category II)

범주II로 분류된 사람은 입증되고 인정된 절차에 따라 적외선 열화상 기술을 수행할 자격을 갖추었다. 범주II로 분류된 인력은 다음을 수행할 수 있어야 한다:

a) 적절한 적외선 열화상 기술을 선택하고 그 한계를 이해;
b) 설문조사 결과의 측정 및 해석을 포함한 열화상 이론 및 기술을 적용;
c) 적절한 하드웨어 및 소프트웨어의 특정;
d) 고급 오류진단 수행;
e) 적절한 현장 시정조치 추천;
f) 고급 이미지 후처리 수행 (이미지, 경향, 몽타주, 감법, 겹치기, 통계학적 분석 등);
g) 수립된 절차에 따라 입증되고 인정된 고급 적외선 열화상 기술의 사용 및 오류 진단;
h) 기계 상태, 오류 진단, 시정조치, 그리고 수리의 효과에 대한 보고서 준비;
i) 대체 혹은 추가적 상태 모니터링 기법 사용에 대해 인지하고 있을 것; 그리고
j) 범주I을 관리하고 지침을 제공

5.4 범주III (Category III)

범주III로 분류된 사람은 입증되고 인정된 절차에 따라 적외선 열화상 기술을 수행할 자격을 갖추었다. 범주III로 분류된 인력은 다음을 수행할 수 있어야 한다.

a) 주기적/지속적 모니터링을 위한 기계, 검사의 빈도, 고급기법사용 등에 대한 결정을 포함하는 열화상 기술 프로그램, 절차, 그리고 지침 개발 및 수립;
b) 심각도 평가 및 새로운, 현재 운영중인, 그리고 오류가 있는 기계에 대한 수용 항목 결정
c) 코드, 표준, 시방서, 그리고 절차 해석 및 평가;
d) 사용할 특정 검사 방법, 절차, 지침 결정;
e) 오류 조건들에 대한 예방 수행;
f) 적절한 형식의 열역학적 (방사선식, 대류식, 전도식) 시정조치 추천;
g) 적절한 형식의 기계 엔지니어링 시정조치 추천;
h) 범주 I 및 II 인력 관리 및 지도 제공; 그리고
i) 대체 혹은 추가적 상태 모니터링 기법 사용 추천.

6. 자격 (Eligibility)

6.1 일반사항 (General)

후보자들은 그들이 열 측정 및 분석에 적용되는 원칙과 절차를 이해하고 있음을 보증하기 위하여 교육, 훈련, 그리고 경험을 가지고 있어야 한다.
모든 후보자들에 대해 이시하라24 판 검사 (Ishihara 24 plate test)을 통해 색맹 검사를 평가 받기를 추천한다. 평가 기관의 요구 시, 검사 결과를 보관하였다가 제공하여야 한다. 24개의 판 중 4개 이상을 잘못 읽어 색 인지 능력 부족이 이시하라 검사에서 발견될 경우, 발견된 색 인지 부족이 개인이 열화상 데이터 분석을 충분히 수행하기 위한 역량에 영향을 미치는지를 확인하기 위하여 고용주는 색 팔레트를 사용하여 "특정 업무(task specific)" 검사를 추가로 하여야 한다. 이 검사를 통과하지 못한 후보자에 대해서는 흑백 팔레트 사용이 요구될 수도 있다. 이 "특정 업무" 검사 및 기타 흑백 팔레트 사용 요청은 문서화되고 평가기관의 요구 시 기록이 제공되어야 한다.

6.2 교육

분류를 원하는 후보자는 적격성을 확보하기 위해 공식적인 교육의 증거를 제공할 필요는 없다. 그러나, 범주 I 및 II의 후보자들로 하여금 최소한 고등학교 졸업증이나 이와 동등한 학력을 갖기를 추천한다. 범주 II 및 III 후보자들은 간단한 대수 방정식을 조작하고, 간단한 과학계산기를 사용하며, 개인 컴퓨터 사용에 익숙하여야 한다. 인가 받은 전문대학이나 대학교 혹은 기타 기술학교에서 기계기술 혹은 기계공학을 성공적으로 2년 이상 마칠 것을 범주III의 후보자에 대해 적극 추천한다.

6.3 훈련(Training)

6.3.1 개요 (Introduction)

ISO 18436의 이 파트에 근거하여 평가에 지원할 자격을 얻기 위해서, 후보자들은 첨부 A의 필요조건에 따른 훈련의 성공적인 이수 증명을 제공하여야 한다. 훈련 교수요목의 주요 지식으로 참고문헌의 문서들이 사용되어야 한다. 이러한 훈련은 ISO 18436-3의 요구사항과 일치해야 한다. 훈련의 최소한의 기간은 표1에 나타나 있다. 훈련의 형태는 강의, 시범, 실제 훈련, 혹은 공식적인 훈련 과정으로 되어 있어야 한다.

자격 요구사항은 ISO 18436의 이 파트에 의거하여야 한다. 각 과목 당 할애된 훈련 시간은 별첨 A 및 표 1을 따른다. 별첨 B에 있는 포함할 주제 및 소주제 목록을 참조길 바란다.

표1 - 누적 훈련 최소 기간 (시간)

범주I	범주II	범주III
32	64	96

훈련은 일반적인 과학 원리와 특정 적용 지식을 포함하는 2개 이상의 과목으로 나누어져 있을 수 있다. 이는 비파괴적 검사와 상태 모니터링 평가기관 사이의 상호 인지를 위해서이다.

6.3.2 추가적 분류를 위한 훈련 (Training for supplementary classification)

열화상 기술에 근거한 상태 모니터링에 국한된 특정 주제를 포함하도록 설계된 모듈식 훈련 과정을 진행할 수 있다.

이러한 추가적 훈련 과정은 별첨A의 (5)에서 (11)까지의 주제를 포함하여야 한다. 이러한 훈련의 기간은 관련 주제분야에 대해 별첨A에 명시된 기간을 지켜야 한다.

6.3.3 기계지식에 대한 추가 훈련 (Additional training on machine knowledge)

표1에 명시된 훈련 시간에 추가적으로, 후보자들은 기계 혹은 부품 훈련, 혹은 동일한 실무 훈련을 최소한 표1에 명시된 시간 정도 받아야 한다.

이러한 훈련은 5.2에 따르는 전문대학 혹은 대학교 교육 등 기타 공식 교육에 추가적으로 진행된다. 만약 수행될 경우, 추가적인 훈련은 기계 및 부품의 설계, 제조, 설치, 운영, 그리고 유지 원칙 및 실패 모드와 각 원칙과 관련된 메커니즘, 그리고 각 메커니즘과 관련된 일반적인 열화상 기술 행태를 포함하여야 한다. 이러한 훈련은 확인 가능한 기록으로 입증되어야 한다.

6.3.4 숙련된 후보자 등재 (Mature candidate entry)

숙련된 후보자 등재는 평가기관의 결정에 따라 허락될 수 있다.
숙련된 후보자들은 범주II의 훈련 과정을 이수하지 않아도 될 수도 있다. 이러한 후보자들은 범주I을 기존에 지닐 필요 없이 후보자들이 범주 I 및 범주 II의 자격을 위해 필요한 사항들을 만족시키는 훈련과 경험을 문서로 증명할 수 있다면 바로 범주II에 등재를 신청할 수 있다.
후보자들은 범주II에 대하여 열화상 기술에 근거한 기계 상태 모니터링에 있어서 주요 문제요소 없이 최소 5년의 경험을 증명하는 문서가 있어야 한다. 후보자들은 별첨A에 따라 동등한 훈련 과정을 수료하였다는 증거를 제공하여야 한다.
이러한 후보자들은 숙련된 후보자 과정 (mature candidate route)에 따라 평가기관에 신청하여야 한다. 만약 주요한 문제 요소가 있다면, 후보자는 평가기관의 결정에 따라 추가 훈련을 받아야 할 수도 있다.

6.4 경험 (Experience)

6.4.1 ISO 18436의 본 파트에 근거하여 평가를 신청할 자격을 갖추기 위해서 후보자들은 표2에 따른 열화상 기술 기반의 기계 상태 모니터링 분야에서의 경험에 대한 증거를 평가기관에 제출하여야 한다. 범주II와 범주III 분류는 더 낮은 범위에서의 이전 분류를 필요로 한다.

표2 - 최소 누적 실무, 해석 그리고 프로그램 관리 경험 필요조건 (개월 및 시간)

범주I	범주II	범주III
12개월	24개월	48개월
400시간a	1200시간a	1920시간a
[a] 실제 필요한 열화상 기술 경험 시간 표기		

6.4.2 명시된 (개월로) 최소한의 총 경험 기간은 ISO 18436-1 및 5.4.5에 의거한 모든 범

주의 경험 습득을 가능하도록 하는데 필요하다. 범주I 및 범주II의 시간이 아닌 개월로 된 경험 기간은 분류과정이 실습시험을 포함하는 경우 50%로 감소될 수 있다.

6.4.3 후보자들은 ISO 18436-1에 따라 자신들의 열화상 기술에 근거한 기계 상태 모니터링 경험의 특성 및 시간을 확인 가능한 문서증거로 보관하여야 한다. 범주 I 및 II의 후보자들은 이 증거를 범주 II 나 III에 속해 있는 사람에게 확인 받거나, 이런 사람이 없을 경우 후보자의 기술 관리자에게 확인 받아야 한다.

6.4.4 범주 III의 후보자들은 이 증거를 범주 III에 속한 사람이나 이러한 사람이 없을 경우 후보자의 기술 관리자로부터 확인 받아야 한다.

6.4.5 모든 범주에 대한 확인 절차는 문서 증거에 대한 확인자의 서명을 필요로 한다. 확인자는 이 확인 절차를 구두평가, 업무수행, 보고서 제출 및 검토, 절차 제출 및 검토, 혹은 이것들을 통해 증가시켜 확인의 신뢰성을 향상시켜야 한다.

7. 시험(Examinations)

7.1 시험 내용 (Examination content)

7.1.1 각 범주 별로, 후보자들은 고정된 최소한의 객관식 문제를 표3에 명시된 시간 동안 풀어야 한다.

7.1.2 문제들은 실무적일 것이나, 후보자들에 대하여 기계 상태 모니터링을 위한 적외선 열화상 측정기술을 수행하기 위해 필요한 개념과 원리를 시험할 것이다

7.1.3 범주 I에 대한 시험지는 파트A

- 일반 열화상 기술(객관식 문제)와 파트 B – 실용적 적용으로 구성될 것이다. 파트B 시험은 양질의 데이터 습득, 인지, 오류 근원 예방 및 통제, 그리고 기본적인 오류 진단을 포함 한다. 이 시험은 이미지 해석과 더불어 물리적인 데이터 습득을 포함할 수도 있다.

7.1.4 범주 II 에 대한 시험지는 파트A
- 일반 열화상 기술(질문 30개)와 파트 B - 실용적 적용으로 구성될 것이다. 파트B 시험은 기계의 상태 모니터링에 대한 진단 및 이미지 해석을 포함한다. 이 시험은 이미지 해석과 더불어 물리적인 데이터 습득을 포함할 수도 있다.

7.1.5 범주 III 에 대한 시험지는 파트A
- 일반 열화상 기술(질문 30개)와 파트 B - 실용적 적용으로 구성되어야 한다. 파트 B 시험은 진단 및 이미지 해석, 솔루션 설계, 그리고 솔루션 확인이 포함될 것이다. 이 시험은 이미지 해석과 더불어 물리적인 데이터 습득을 포함할 수도 있다. 이미지 해석 질문은 오류 구분, 솔루션 추천, 그리고 솔루션 확인 프로세스를 필요로 하는 과거 케이스를 기반으로 해야 한다. 또한 파트 B는 서술 및 단답형 질문을 포함할 수도 있다. 몇몇 질문은 열 이미지 해석을 포함하여야 한다. 단순한 과학 계산기를 사용해야 하는 간단한 수학 계산이 필요할 수도 있다. 일반적인 공식에 대한 요약이 시험 질문과 함께 제공될 수 있다.

7.1.6 시험 내용은 첨부A의 훈련 교수요목에 비례하여야 한다.

7.1.7 평가기관은 평가기관의 결정에 따라 특정 형식의 보상을 필요로 하는 후보자를 위해 숙소를 제공할 수도 있다.

표3 - 최소한의 시험 내용

범주	질문 수	시간	통과 점수 %
범주 I	50	2,0	75
범주 II	60	2,0	75
범주 III	60	2,0	75
추가 시험	30	1,0	75

7.2 시험실시 (Conduct of examinations)

모든 시험은 ISO 18436-1:2004, 8.2에 따라 실시되어야 한다. 단, 컴퓨터 기반 시험이 사용될 경우 외에는, 후보자들은 연필과 지우개를 사용할 수도 있다.

7.3 추가 시험 (Supplementary examination)

7.3.1 추가 모듈 시험은 A.1의 주제 1에서 4까지를 다루는 동일한 범주이며 ISO 18436의 이 파트의 기타 요구조건에 부합하는 것으로 평가기관으로부터 확인된 후보자들에게 가용될 수 있다.

7.3.2 추가 모듈 시험은 별도로 점수가 채점될 것이다.

7.3.3. 추가시험 후보자들은 시험을 치를 강의요목을 포함하는 훈련 과정을 만족스럽게 이수하였어야 한다. 또한 이 훈련에 대한 문서적 증명을 제공하여야 한다.

인용 A
(normative)

훈련 과정 요구사항 및 최소 교육시간

A.1 훈련 요목

주제	교육 시간		
	범주 I	범주 II	범주 III
0. 소개	0,5	—	—
1. 적외선 열 그래픽의 원칙	6	7	6
2. 장비와 데이터 수집	5	3	1
3. 이미지 처리	6	2	1
4. 일반적인 어플리케이션	4,5	0	0
5. 진단과 예측	1	2	2
6. 상태 감시(관찰) 어플리케이션	4	10,5	7
7. 교정 조치	—	3	6
8. 리포팅과 다큐멘테이션(기록문서)	1	0,5	0,5
9. 상태 감시(관찰) 프로그램 디자인	0,5	0,5	3,5
10. 상태 감시(관찰) 프로그램의 구현	1	1	1
11. 상태 감시(관찰) 프로그램 계획관리	0,5	0,5	2
12. 트레이닝 시험	2,0	2,0	2,0
각각 범주를 위한 전체 시간	32	32	32

A.2 교육 요지 및 시간 상세 목록

주제	요지	교육 시간		
		범주 I	범주 II	범주 III
0. 소개		0,5	—	—
1. 적외선 열 화상의 원리(IRT)		6	7	6
	열과 열전도	*		
	전도 기본 주파수	*		
	푸리에의 법		*	*
	전도성/내성	*		
	대류 기본 주파수	*		
	뉴턴의 냉각의 법		*	*
	방사기본주파수	*		
	전자기 스펙트럼	*		
	대기 전송	*	*	
	IR 주파대오 렌즈의 재료	*		
	방사 참조 출처		*	*
	플랑크의 법칙		*	
	비인의 법칙		*	
	스테판-볼츠만의 법칙	*		
	방출도, 반사도와 투과율	*		
	방사율	*	*	*
	인자가 방사율에 미치는 영향	*	*	*

주제	요지	교육 시간 범주 I	범주 II	범주 III
2. 장비와 데이터 수집		5	3	1
	적외선 카메라 작동	*		
	적외선 카메라 선택기준		*	
	스팩트럼 대역	*	*	
	온도 측정 범위	*		
	열감응성		*	
	렌즈 선택	*	*	
	광학의 해상도	*	*	
	장비의 작동	*	*	
	악세서리	*	*	
	카메라 제어	*		
	ISO18436-1	*	*	
	안전한 데이터 수집	*	*	
	좋은 이미지 구하기	*		
	이미지 구성	*	*	*
	이미지명확성	*		
	온도 동조	*		
	팔레트 선택	*		
	방사율 결정	*	*	
	오차 원인인식, 방지 또는 통제	*	*	
	주파대 선택기준		*	*
	방사선을 다루고 알아보기	*	*	*
	대류를 다루고 알아보기	*	*	*
	전도를 다루고 알아보기	*	*	*
	부정확한 방사율의효과	*	*	
	카메라 캘리브레이션	*	*	
	환경적이고 작동상태 데터와	*	*	
	이미지 저장	*		
3. 영상처리		6	2	1
	온도측정	*	*	
	ISO 18434-1	*	*	*
	온도측정	*		
	비교 양적 서모그래피	*	*	
	비교 질적 서모그래피	*	*	
	환경적인 영향	*	*	
	카메라특정도구	*	*	
	특정 도구	*	*	
	팔레트 선택	*		
	레벨과스팬조정	*		
	거리 수정	*	*	
	방사율 수정		*	
	통계 분석		*	
	영상 삼각법		*	*
	이미지 몽타주	*	*	*
	온도 트렌딩	*	*	*

	일반적 영상 판독 가이드라인 심각성 평가 기준	*	* *	* *
4. 일반 적용	일반적 산업상 이용가능성에 관한 토론 능동적 및 수동적 열화상	4,5 * *	0	0
5. 진단 및 예방	진단법의 기초 원리 예측의 기초 원리	1 *	2 * *	2 * *
6. 상태감시 응용	기계장치 엔지니어링 원리 전형적기계장치 고장모드 그리고 커니즘과 그들의결합된 열 심각성 평가와 수용 기준 ISO 18434-1(안전문제)	4 * * * * *	10,5 * * * * *	7 * * * * *
7.교정 행위	교정한 기계장치 그리고/또는 예방책	—	3 *	6 *
8. 보고 및 문서화 (ISO 국제표준)	보고기록 Therm ographers' and end-users' responsibilities	1 * *	0,5 * *	0,5 * *
9. 상태감시 프로그램 설계 (ISO 17359, ISO 18434-1, ISO 13379, ISO 13381-1)	(일반원리) (기술 선택) (측정 간격) (기준온도) (온도의 기준치) (개발 절차)	0,5 * * *	0,5 * * * * * *	3,5 * * * * * *
10. 상태감시 프로그램 실시 (ISO 17359, ISO 13381-1, ISO 18434-1)	(개관) (일의 안전한 시스템) (역할과 응답도) (훈련과 평가)	1 * *	1 * * *	1 * *
11. 상태감시 프로그램 운영	(안전관리) (장비관리) (절차 관리) (기술과 능력 관리) (데이터베이스 관리) (교정조치 구현을 관리하기)	0,5 * * *	0,5 * * * * * *	2 * * * * * *
12. 훈련 시험		2,0	2,0	2,0
총시간		**32**	**32**	**32**

NOTE 1 Category II includes the knowledge of Category I; Category III includes the knowledge of Category I and Category II.

NOTE 2 At Categories II and III, the times allocated are indicative only, indicating the bias towards application topics, and the actual time spent for each topic is flexible, provided an advised minimum of approximately 24 h is allocated per field of application.

NOTE 3 * Indicates topics to be taught at indicated category.

인용 B
(normative)

훈련과정 세부과제

제목	주제	세부과제
1. 적외선열화상 원리	열전도 전자기스펙트럼 방출도 반사도와 투과율 대기전송 R 주파대와 렌즈 물질 전도 기본 주파수 푸리에의법칙 전도성/내성 대류 기본 주파수 뉴턴의 냉각의 법 방사기본 주파수 플랑크의 법칙 비인의 법칙 스테판-볼츠만 법	인자가 방사율, 반사도와 투과율에 영향을 미친다 열 흐름; 전도; 목표 두께; 일반 원리 참조출처 방사율; 실 온도차이; 일반 원리; 흑채 일반원리
2. 자료 획득 장비	선택기준 범위와 레벨 설정 장비의 작동 통제 렌즈 좋은 이미지 얻기 명료성 동적 범위 리플렉션을 다루는 것을 알아보다 대류를 다루는 것을 알아보기 전도를 다루는 것을 알아보다 교정 환경적이고 작동적임 조건 데이터 스토리지	소음 등가 온도 차이 온도 측정 범위; 온도 동조 액세서리; 방사율 결정 렌즈의 재료, 선택 이미지 구성 광학 해결; 초점 일반 원리; NETD 리플렉션; 겉보기 온도를 반영했다 루프; 접지; 구조; 질량 이동 오차 원인 인식, 방지 또는 통제 데이터와 이미지 저장
3. 영상처리	온도측정 측정 기능 정확도 방사율 측정 회피 오류 작은 스폿 크기 거리 대기 감쇄	ISO 18434-1; 비접촉 온도측정 비교급 양적이고 질적 서모그래피; 온도 트렌딩 카메라측정도구 방사율수정 거리와대기보정 환경적인 영향 일반 원리 바람,빗방울,태양,리플렉션

	지지 데이터 수집 그리고 장비 환경 데이터 소프트웨어 영상 판독 열 심각성을 설치하기 기준 (absolute, delta,statistical))	호환성;지역;통계분석; 기능 원칙 방사율; 검출기; 태양리플렉션; 야간리플렉션; 정성(질적인) 평가 ;라디오 시티 영상 삼각법 이미지 몽타주; 일반적 영상 판독 가이드라인 원칙; 정량적 평가; 최대 오퍼레이팅 온도; 설립을 위한 일반지침 열 심각성 평가 기준(ISO 18434-1 스탠다드와 공학 코드)
4. 일반 적용	기계 인수기준 안전 문제	일반적 산업상 이용가능성에 대한 토론이 규정된 섹터토픽에 의해 커버되지 않는다. 원칙; 모터; 펌프; 기어박스; 엔진; 일렉트릭 모터 , 컴프레서, 팬; 화전설비 ; 왕복장비; 활동적이면서 수동적 서모그래피 원칙; 허용된 온도와 온도하강 원칙; 위험평가; 건강; 건강 그리고 환경; 전력규정 효과; HV 전류 차단기 ; 최고 온도; 검사; 안전 프로토콜
5. 진단 및 전조	진단법 원칙과 과정 전조가 되는 원칙과 과정	원칙; 과정 ISO 13379 원칙; 과정; 모터; ISO 13381-1
6. 상태감시 적용	기계 공학 성분 과 구성 기계적인 것의 iR이론 열과 응용 서명 응용 a) 회전 설비 b) 유체 흐름 c) 동력 전달 결합 분석 인수 기준	원칙;메커니즘;베어링;윤활 응용;서명;스팀트랩;마찰;냉각한 윤활, 대표적인 기계의 고장모드와 그것이 관련된 열적 징후; ISO 18434-1 제한 구동 샤프트;베어링;기어;팬;모터;유압식 구동; 펌프;컴프레서;터빈;벨트 드라이브방식 열교환기; 깨끗한 실험실; 스패트랩; 펌프; 보일러; 밸브; 압력용기; 파이 ; 응축률 펌프;밸브;모터 원칙;파이프 피복재; 저온학; 베이스라인 베이스라인; 수용원칙; 심각성 평가와 인수 기준(공학적코드와 규격)
7. 보정 활동	기계	펌프 추천; 베어링; 모터; 컴프레서; 엔진; 교정한 기계장치와 예방벽
8. 보고서 및 문서 작성 (ISO 국제표준)		
9. 상태감시 프로그램 설계	개관 기술 선택 측정 관격 절차 개발 기준 온도 온도의 기준치	ISO 17359, ISO 18434-1, ISO 13379, ISO 13381-1; 일반적인 원리 열사진법 ; 비접촉 파이로미터; 열 유속 인디케이터; 진동해석; 오일분석; 음향학; 다른 CM기술 순위매김; 비용; 프로토콜; 결함 심각성 분석 원칙; 이상의 심각성 원칙

10. 상태감시 프로그램 실시	개관 일의 안전성 시스템 역할과 응답도 훈련과 평가	ISO 17359, ISO 13381-1, ISO 18434-1 절차 ISO 18436 관련부 ISO 18436 관련부
11. 상태감시 프로그램 운영	안전관리 장비관리 절차관리 기술과 능력 관리 데이터베이스 관리 교정 조치 다루기 구현	 프로토콜; 위험 평가 원칙 원칙, ISO 17359 ISO 18436 관련부 ISO 13374, ISO 13372, ISO 13379 원칙; 프로토콜; 부식/온도

【 찾아보기 】

| 참고 문헌 |

1. Robert E. Fischer and Biljana Tadic-Galeb. Optical System Design. New York: McGraw-Hill Company, 2000
2. Vladmir P. Vavilov, Thermal/Infrared Testing, Book 1, in Nondestructive Testing Handbook Vol.5, Edited by V.V. Klyuev, Spektr, 2009
3. Max J. Riedl, Optical design fundamentals for nfrared systems, SPIE PRESS, Washington, 2001
4. Ronald G. Driggers, Paul Cox, and Timothy Edwards, "Introduction to Infrared and Electro-Optical Systems," Artech House, 1999.
5. Frank P. Incropera and David P. DeWitt, "Fundamentals of Heat and Mass Transfer." John Wiley & Sons, 7th ed., 2008.
6. Arch C. Luther, "Video Camera Technology," Artech House, 1998.
7. G. Gaussorgues and S. Chomet, "Infrared Thermography," Chapman & Hall, 1994.
8. John C. Russ, "The Image Processing Handbook," 2nd ed., CRC Press, 1995.
9. 최만용, 박정학, 김원태, 이승석, 강기수, 초음파적외선 열화상 기법에 의한 피로균열 검출에 있어 발열 메커니즘 분석, 비파괴 검사학회, 2009
10. 최만용. 강기수. 김원태, 적외선 체열 진단시스템 및 그 제어방법, 국내특허, 2007
11. 박정윤, 안산의료센터, Bio-thermography 과거, 현재, 미래, 2009
12 김영호, 한국의 2차원 적외선 검출기의 개발 현황, i3system, 2009
13. 강재식, 적외선 열화상을 이용한 건축물 단열성능 현장 평가법, 한국 건설기술연구원, 2008
14. 임강민, Thermography와 ISO 표준 진행 경과한국표준협회, 2008
15. 정성헌, 급성 경추부 염좌에 있어서 체열 진단의 유용성, 광주첨단종합병원, 2008
16. http://www.newportus.com/Products/Techncal/MetlEmty.htm
17. http://www.flirkr.co.kr/
18. 키쿠지 코우 전력설비의 진단 활용을 위한 적외선 화상 장치의 활용 / 월간전기 2005

19. 유병열. 한국전기안전공사_적외선 열화상 진단장비 /   월간 전기 2008
20. 최만용, "최신정밀계측기술" 학연사 2000
21. 최만용, 강기수, 박정학, 안병욱, 김경석, "적외선 열화상 응력측정법에 의한 동적 응력집중계수 계측", 한국정밀공학회지, 25/5, 77-81, 2008.
22. 최만용, 강기수, 박정학, 김원태, 김경석, "Quantitative determination of a subsurface defect of reference specimen by lock-in infrared thermography ", NDT & E International, 41/2, 119-124, 2008.
23. 최만용, 박정학, 김원태, 강기수, "Inspection of Impact Damage in Honeycomb Composite by ESPI, Thermography and Ultrasonic Testing", International Journal of Modern Physics B, 22/9, 1033-1038, 2008.
24. ISO/FDIS 10878, 2011
25. ISO/FDIS 18434-1, 2008
26. ISO/FDIS 18436-7, 2010
27. 김원태, 최만용, "생체 의료열화상에서의 열전달 모델링 및 공학적 평가", 대한체열학회지, 제7권 제1호, p.1-7, 2006

■ 著者略歷 ■

최 만 용

- 한양대학교 정밀기계공학과 졸업, 공학사
- 한양대학교 대학원 정밀기계공학과 졸업, 공학석사
- 한양대학교 대학원 정밀기계공학과 졸업, 공학박사

現, 한국표준과학연구원 안전측정센터 책임연구원
한국비파괴검사학회 이사
ISO/TC 135/SC 8 간사

김 원 태

- 한양대학교 정밀기계공학과 졸업, 공학사
- 한양대학교 대학원 기계공학과 졸업, 공학석사
- 미국 유타대 대학원 기계공학과 졸업, 공학박사

現, 공주대학교 기계자동차공학부 교수
한국비파괴검사학회 적외선열화상(6분과) 분과위원장
ISO/TC 135/SC 8 컨비너

비파괴검사 이론 & 응용 ❾
적외선열화상검사

발 행 일	2012년 1월 10일
저 자	한국비파괴검사학회 최만용, 김원태
발 행 인	박승합
발 행 처	노드미디어
등 록	제 106-99-21699 (1998년 1월 21일)
주 소	서울특별시 용산구 갈월동 11-50
전 화	02-754-1867, 0992
팩 스	02-753-1867
홈페이지	http://www.enodemedia.co.kr
I S B N	978-89-8458-257-6-94550 978-89-8458-249-1-94550 (세트)

정가 18,000원

*낙장이나 파본은 교환해 드립니다.